a formação de um
DISCÍPULO

KEITH PHILLIPS

a formação de um
DISCÍPULO

Tradução
Elizabeth Gomes

2. edição revista e atualizada

Vida

Editora Vida
Rua Conde de Sarzedas, 246 —
Liberdade
CEP 01512-070 — São Paulo, SP
Tel.: 0 xx 11 2618 7000
atendimento@editoravida.com.br
www.editoravida.com.br
@editora_vida /editoravida

A FORMAÇÃO DE UM DISCÍPULO
© 1981, by Keith Phillips
Originalmente publicado nos EUA com o título
The Making of a Disciple,
Publicação com permissão contratual da
BAKER PUBLISHING GROUP
(Grand Rapids, Michigan, EUA)

Todos os direitos desta edição em língua portuguesa
reservados e protegidos por Editora Vida pela
Lei 9.610, de 19/02/1998.

É proibida a reprodução desta obra por quaisquer meios
(físicos, eletrônicos ou digitais), salvo em breves citações,
com indicação da fonte.

∎

Exceto em caso de indicação em contrário,
todas as citações bíblicas foram extraídas de
Nova Versão Internacional (NVI) © 1993, 2000, 2011 by
International Bible Society, edição publicada por Editora
Vida. Todos os direitos reservados.

Todas as citações bíblicas e de terceiros foram adaptadas
segundo o Acordo Ortográfico da Língua Portuguesa,
assinado em 1990, em vigor desde janeiro de 2009.

Editor responsável:
Sônia Freire Lula Almeida
Editor-assistente:
Gisele Romão da Cruz
Revisão de tradução: Vivien Chivalski
Revisão de provas:
Josemar de Souza Pinto
Diagramação:
Efanet Design e Set-up Time
Capa: Arte Peniel

∎

As opiniões expressas nesta obra refletem o ponto de vista
de seus autores e não são necessariamente equivalentes às da
Editora Vida ou de sua equipe editorial.

Os nomes das pessoas citadas na obra foram alterados nos
casos em que poderia surgir alguma situação embaraçosa.

Todos os grifos são do autor, exceto indicação em contrário.

1. edição: 2006	9. *reimp.*: maio 2014
	10. *reimp.*: ago. 2015
2. edição: 2008	11. *reimp.*: abr. 2016
3. *reimp.*: abr. 2010 (Acordo Ortográfico)	12. *reimp.*: mar. 2018
4. *reimp.*: fev. 2011	13. *reimp.*: fev. 2020
5. *reimp.*: ago. 2011	14. *reimp.*: jun. 2021
6. *reimp.*: mar. 2012	15. *reimp.*: maio 2022
7. *reimp.*: maio 2013	16. *reimp.*: maio 2023
8. *reimp.*: ago. 2013	17. *reimp.*: out. 2024

Dados Internacionais de Catalogação na Publicação (CIP)
(Câmara Brasileira do Livro, SP, Brasil)

Phillips, Keith W.
A formação de um discípulo / Keith Phillips; tradução Elizabeth Gomes
— 2. ed. rev. e atual. — São Paulo: Editora Vida, 2008.

ISBN 978-85-7367-160-5
e-ISBN 978-65-5584-022-3

1. Vida cristã I. Título.

06-2449

CDD 248.4

Índice para catálogo sistemático:

1. Vida cristã : Prática religiosa : Cristianismo 248.4

A Patrick Delaney, Susie Krehbiel, Fred Stoesz, Mary Thiessen e Thuan Vuong, queridos discipuladores, cujo comprometimento em levar o amor de Deus aos necessitados é uma constante fonte de encorajamento.

Sumário

Introdução   9

Primeira parte: O que é discipulado?
1 Fazer discípulos, e não convertidos   14
2 O que é discipulado?   19

Segunda parte: Quem é discípulo?
3 Como saber se você é discípulo?   36
4 Obediência   41
5 Submissão   49
6 Amar uns aos outros   63
7 Oração   77

Terceira parte: Como fazer discípulos?
8 Criado para reproduzir   84
9 A escolha de um discípulo   91
10 O discipulado é relacional   105
11 A dinâmica do discipulado   123
12 O padrão do discípulo: excelência   142
13 O modelo do Mestre   155

Introdução

Jesus veio salvar uma humanidade decaída e levantar um povo que o louvasse para sempre. Ao desempenhar essa missão, ele ministrou entre nós como servo, cuidando dos doentes, curando os abatidos pela dor e pregando o evangelho às multidões. Mas, em tudo isso, ele concentrou a atenção em fazer discípulos — pessoas que aprendessem dele e seguissem seus passos.

Após sua morte e ressurreição, antes de subir ao céu, ele disse a seus seguidores: "[...] vão e façam discípulos de todas as nações [...]". Eles puderam entender o que Jesus queria dizer porque ele estava pedindo apenas que dessem continuidade àquilo que havia praticado com eles. A Grande Comissão não é um chamado para um novo plano de ação, mas o desenvolvimento do próprio método de missão de Jesus.

Engenhosa em sua simplicidade, essa era a essência do plano de Cristo para alcançar o mundo para Deus. Ele sabia que esse plano não poderia falhar, pois os verdadeiros discípulos não crescerão apenas à semelhança de seu Mestre; com o tempo, pelo seu Espírito, reproduzirão a vida dele em outras pessoas.

Está claro também que esse método dá o impulso do ministério de Jesus à vocação de todo cristão. É certo que não são muitos os chamados a pastorear uma grande congregação ou mesmo ensinar numa classe, mas todos são chamados a participar na tarefa de fazer discípulos. Sua comissão não é um dom especial; é uma ordem. Todos os que creem em Cristo não têm outra opção, a não ser a obediência.

Contudo, quase não se vê o cumprimento dessa ordem na Igreja de hoje. Não se trata de uma recusa deliberada, senão do fato de que a maioria das pessoas não tem ideia de como podem relacionar a tarefa com o dia a dia.

É por isso que este livro se torna necessário. Trata dos aspectos práticos do discipulado. Após ampla experiência nesse ministério, o dr. Keith Phillips compartilha em seus escritos princípios que aprendeu no árduo e doloroso processo de conduzir pessoas no caminho de Cristo.

Ele trabalha com a premissa de que o desenvolvimento do caráter é mais importante do que o polimento das técnicas. "Você tem de ser a pessoa de Deus" escreve ele, "antes de poder realizar a obra de Deus". Básica para tal procedimento é a necessidade bíblica de morrer para o egocentrismo a fim de que Cristo reine absoluto no coração. Sustentando esse compromisso, está uma atitude de submissão à autoridade divina, uma devoção refletida em forte disciplina pessoal, um amor que se estende para fora de si mesmo e um senso de comunidade.

O autor passa a detalhar como tal crescimento é gerado, ressaltando os ingredientes essenciais à vida de quem faz discípulos e de quem se torna discípulo. Você perceberá que a tarefa não é fácil, e não existem métodos para simplificá-la. Realizar tal obra exige determinação resoluta e compaixão sacrificial.

É aqui que finalmente todos nós temos de enfrentar a questão: estamos dispostos a pagar o preço? Na certeza de que este livro nos ajudará a compreender melhor a necessidade e nos inspirará a uma participação confiante e significativa no trabalho de nosso Mestre, é um prazer recomendar-lhe sua leitura.

ROBERT E. COLEMAN

Primeira parte

O que é discipulado?

1
Fazer discípulos, e não convertidos

No primeiro mês em Watts, testemunhei um assassinato. Ronnie era um garoto corajoso e cheio de energia. Ele frequentava o grupo de estudo bíblico para crianças que eu tinha começado algumas semanas antes em um conjunto habitacional. Chamou-me a atenção naquele dia porque estava andando descalço sobre um campo coberto de vidro quebrado. Eu não podia imaginar como ele conseguia correr assim sem que seus pés se cortassem. Mas ele não parecia ter nenhuma sombra de preocupação no mundo.

De repente, um menino mais velho saltou na frente de Ronnie, apunhalou-lhe o peito, arrancou-lhe o rádio e fugiu. Ronnie caiu no chão.

Eu não acreditava no que estava vendo. Comecei a suar frio. Minhas mãos ficaram pegajosas. Meu coração saltava enquanto corria na direção dele. Tinha medo de que alguém me pedisse ajuda. Eu queria ajudar, mas não sabia o que fazer. Fiquei perdido, parado em meio à multidão.

A reação das crianças e dos jovens que se juntaram ao redor do corpo de Ronnie deixou-me atônito. Eu esperava hostilidade e violência, mas eles agiam como se estivessem num parque de diversões. Vaiaram a polícia e deram vivas quando a ambulância chegou. Riram, gritaram e tentaram contar cada um histórias mais escabrosas sobre outras mortes já presenciadas. Ninguém parecia se importar com Ronnie. Nem mesmo seu irmão demonstrou tristeza.

Fiquei ali durante um tempo que me pareceu uma eternidade. Aquilo que tanto me horrorizava era, aparentemente, um evento comum para os demais. Mas isso foi apenas o começo, o primeiro de uma série de choques que me partiriam o coração nesse campo missionário para o qual Deus me chamara.

Enquanto me afastava do campo em que Ronnie morreu, um rapazinho chamado Jimmy disse-me com a maior naturalidade: "Isso não é grande coisa, não. As pessoas aqui são mortas o tempo todo. Meu priminho de 1 ano foi morto uns dois meses atrás. Ele começou a gritar às 2 horas da manhã porque estava doente. A mãe dele ficou muito brava. Arrancou-o da cama e jogou-o pela janela. A cabeça dele arrebentou".

Quanto mais eu escutava, mais aprendia.

Nenhuma das crianças que encontrei conhecia o pai. Isso não parecia incomodá-las. Simplesmente era assim.

A princípio, não acreditei que Darrell estivesse me dizendo a verdade quando me contou que fazia três dias que não comia. Eu sabia que ninguém passava fome nos Estados Unidos. Pensei que ele estivesse tentando me enganar. Mas depois descobri que sua mãe, viciada, gastava o pouco que ganhava no consumo de drogas.

Eu sabia que Teresa, com 12 anos, tinha um filho, mas fiquei intrigado quando ela me disse que o bebê era seu irmão. Mais tarde, fiquei sabendo que o pai dela a engravidara.

Rhonda, com 16 anos, era mãe havia duas semanas e não suportava o choro do seu bebê. Drogada com estimulantes, deu socos no filho, quebrando-lhe as costelas e perfurando-lhe os pulmões.

Belinda, de 9 anos, vivia em terror contínuo de abuso sexual sofrido por parte de um tio. Sua mãe não se incomodava. Seus irmãos apenas riam e debochavam dela.

A horrível deterioração e o desespero do gueto me pasmavam. Era como entrar num mundo diferente: a fome, os abusos, as drogas, a morte, mães com 12 anos, filhos ilegítimos. Ninguém se chocava. Ninguém se importava.

Eu sabia que Jesus teria de ser a resposta para essas imensas necessidades físicas e espirituais, mas não tinha ideia de como tornar o evangelho relevante para as pessoas do gueto.

O único método que me ocorreu foi a evangelização em massa. Assim, iniciei grupos de estudo bíblico para crianças em Watts. Dezenas de crianças vinham. Todas queriam "aceitar Jesus" e trazer seus amigos. As mães apreciavam os filhos "tornando-se religiosos", e os jovens demonstravam interesse em saber quando surgiriam grupos de estudo para eles. Em poucos anos, 300 voluntários, jovens universitários cristãos, juntaram-se a mim para ensinar centenas de crianças em estudos bíblicos semanais.

Organizamos reuniões evangelísticas. Muitas pessoas assistiam — algumas simplesmente "para ver aqueles brancos". Eu apresentava uma mensagem simples de salvação, e quase sempre todos levantavam a mão indicando o desejo de ter os pecados perdoados e ficar em paz com Deus. Preenchíamos cuidadosamente os cartões de decisão e com fidelidade enviávamos material para crescimento espiritual de cada convertido, sem nos dar conta de que muitos deles eram analfabetos.

Eu orava com um viciado ou com uma criança abandonada, dizendo: "Deus o abençoe", e ia embora. Como para mim era totalmente impossível pastorear todos esses novos cristãos, argumentava que o Espírito Santo cuidaria deles.

Centenas de pessoas no gueto de Los Angeles "aceitaram Cristo". Meus amigos cumprimentavam-me e asseguravam-me de que eu estava realizando um excelente trabalho. Eu queria acreditar neles. E, por algum tempo, acreditei.

À medida, porém, que os meses se tornaram anos, tive de confessar que havia um problema muito sério. Com todas essas decisões por Cristo, deveria haver vidas transformadas — centenas delas. Mas, por mais que procurasse, não encontrava nenhuma. Algo havia saído errado.

Em parte por orgulho, em parte por ignorância, eu continuava esperando que de alguma forma as coisas se endireitassem. Mas não podia me livrar do sentimento perturbador de que tudo tinha sido em vão. Não havia fruto permanente. A rotatividade nos meus grupos de estudo bíblico era grande. Jovens diferentes vinham a cada semana. Adolescentes que aprenderam de Cristo quando crianças ainda eram amigos, mas tinham-se tornado cafetões, prostitutas ou traficantes. Ex-membros do grupo de estudo bíblico estavam andando com guangues de rua. Parecia que o evangelho não tinha dado certo.

Fiquei desanimado. Quase desisti.

Em desespero, procurei a Palavra de Deus. Pela primeira vez na vida, eu queria ver o que *Deus* dizia, em vez de provar aquilo que já sabia.

Ao ler Mateus 28.19,20, recebi uma revelação surpreendente. A comissão de Cristo para sua Igreja não era "fazer convertidos", mas sim "fazer discípulos". Era isso! Embora eu não entendesse todas as implicações, imediatamente percebi que o discipulado era o elemento que faltava em meu ministério.

Eu tinha centenas de trunfos no meu cinto de evangelista, mas não podia identificar um só cristão que estivesse amadurecendo. Havia proclamado o evangelho, mas tinha falhado em fazer discípulos.

Quanto mais eu estudava o Novo Testamento, mais firme se tornava minha convicção de que o discipulado é a única maneira de evitar a má nutrição espiritual e a fraqueza dos filhos espirituais pelos quais sou responsável. É o único método que produzirá cristãos maduros e capazes de reverter a deterioração física e espiritual do gueto.

Eu sabia que Deus se entristecia com meu método inicial no ministério. Assumi o compromisso de que, daquele momento em diante, concentraria todo recurso que o Senhor me desse na tarefa de fazer discípulos.

2
O que é discipulado?

Durante a Idade de Ouro da Grécia, o jovem Platão podia ser visto caminhando pelas ruas de Atenas em busca de seu mestre: o maltrapilho, descalço e brilhante Sócrates. Aqui, provavelmente, estava o início de um discipulado. Sócrates não escreveu livros. Seus alunos escutavam atentamente cada palavra que ele dizia e observavam tudo o que ele fazia, preparando-se para ensinar a outros. Aparentemente, o sistema funcionou. Mais tarde, Platão fundou a Academia, onde Filosofia e Ciência continuaram a ser ensinadas por 900 anos.

Jesus usou relacionamento semelhante com os homens que ele treinou para difundir o Reino de Deus. Seus discípulos estiveram com ele dia e noite por três anos. Escutavam seus sermões e memorizavam seus ensinamentos. Viram-no viver a vida que ele ensinava. Então, após sua ascensão, confiaram as palavras de Cristo a outros e encorajaram-nos a adotar o seu estilo de vida e a obedecer ao seu ensino. Discípulo é o aluno que aprende as palavras, os atos e o estilo de vida de seu mestre com a finalidade de ensinar outros.

O discipulado cristão é um relacionamento de mestre e aluno baseado no modelo de Cristo e seus discípulos, no qual o mestre reproduz tão bem no aluno a plenitude da vida que tem em Cristo que o aluno é capaz de treinar outros para que ensinem outros.

Um estudo cuidadoso do ensino e da vida de Cristo revela que o discipulado possui dois componentes essenciais: a morte de si mesmo e a multiplicação. São essas as ideias básicas de todo o ministério de Jesus. Ele morreu para que pudesse reproduzir nova vida. E ele requer que cada um de seus discípulos siga o seu exemplo.

MORRER PARA SI MESMO

O chamado de Cristo para o discipulado é um chamado para a *morte de si mesmo*, uma entrega absoluta a Deus. Jesus disse: "Se alguém quiser acompanhar-me, negue-se a si mesmo, tome diariamente a sua cruz e siga-me. Pois quem quiser salvar a sua vida, a perderá; mas quem perder a sua vida por minha causa, este a salvará" (Lc 9.23,24).

Da perspectiva do mundo, a franqueza de Cristo em chamar as pessoas para segui-lo parece exagerada. Hoje, se alguém quisesse "vender" um estilo de vida tão exigente, um compromisso tão radical, provavelmente contrataria a empresa mais sofisticada de publicidade para descrever detalhadamente, num folheto ilustrado com lindas fotografias coloridas, os benefícios de tal decisão. Ou contrataria uma atriz deslumbrante e a cercaria de figuras famosas obviamente felizes pelo deleite e a satisfação de sua nova vida em Cristo. Depois captaria a magia do momento em videoteipe, com a esperança de colocar o filme no ar no intervalo do programa de maior audiência.

Jesus, porém, é honesto e direto: para compartilhar de sua glória, primeiro a pessoa tem de compartilhar de sua morte.

Jesus é o Senhor dos senhores e o Rei dos reis. E o Senhor do Universo ordena que toda pessoa o siga. Seu chamado a Pedro e André (Mt 4.18,19) e a Tiago e João (Mt 4.21) foi uma ordem. "Siga-me" sempre tem sido uma ordem, nunca um convite (Jo 1.43).

Jesus nunca implorou que alguém o seguisse. Ele era embaraçosamente direto. Ele confrontou a mulher no poço, com o seu adultério; Nicodemos, com seu orgulho intelectual; os fariseus, com sua justiça própria. Ninguém pode interpretar "Arrependam-se, pois o Reino dos céus está próximo" (Mt 4.17) como uma súplica. Jesus ordenou a cada pessoa que renunciasse a seus interesses, abandonasse os pecados e obedecesse completamente a ele.

Quando o jovem rico se recusou a vender tudo o que possuía para segui-lo (Mt 19.21), Jesus não foi correndo atrás dele tentando conseguir um acordo. Ele nunca minimizou seu padrão. Jesus declarava apenas: "Quem me serve precisa seguir-me [...]" (Jo 12.26).

Jesus esperava obediência imediata. Ele não aceitava desculpas (Lc 9.62). Quando um homem quis primeiro sepultar o pai antes de seguir Cristo, ele replicou: "[...] Siga-me, e deixe que os mortos sepultem os seus próprios mortos" (Mt 8.22). Homem algum recebeu algum elogio por ter obedecido à ordem de Cristo de segui-lo e tornar-se seu discípulo; era o que se esperava de todos. Jesus disse: "Assim também vocês, quando tiverem feito tudo o que lhes for ordenado, devem dizer: 'Somos servos inúteis; apenas cumprimos o nosso dever' " (Lc 17.10).

Assim, quando é que você se torna um cristão, um discípulo de Cristo? Quando vai à frente em resposta a um apelo? Quando se ajoelha diante do altar? Quando chora sinceramente? Nem sempre. Os primeiros seguidores de Cristo tornaram-se discípulos quando lhe obedeceram, quando "eles, deixando imediatamente seu pai e o barco, o seguiram" (Mt 4.22)[1].

A obediência à ordem de Cristo "Siga-me" resulta na morte de si mesmo. O cristianismo sem essa morte é apenas uma filosofia abstrata. É um cristianismo sem Cristo.

Talvez o erro fundamental cometido por muitos cristãos seja fazer distinção entre receber a salvação e tornar-se discípulo. Colocam as duas coisas em níveis diferentes de maturidade cristã, presumindo que é aceitável ser salvo sem assumir compromisso com as exigências mais radicais de Jesus, como "tomar a sua cruz" e segui-lo (Mt 10.38).

Essa ideia baseia-se na crença errada de que a salvação é principalmente para o benefício do homem a fim de torná-lo feliz e evitar a condenação eterna.

Embora a salvação venha ao encontro da mais profunda necessidade do homem, essa ideia humanista de fazer uma coisa em favor do bem-estar da pessoa ignora completamente a razão fundamental pela qual Cristo morreu na cruz. Deus concede a salvação aos homens principalmente para trazer glória a ele por meio de um povo que tem o caráter de seu Filho (Ef 1.12). A glória de Deus é mais importante do que o bem-estar do homem (Is 43.7).

Ninguém que compreenda o propósito da salvação ousaria especular que uma pessoa pudesse ser salva sem aceitar o senhorio de Cristo. Cristo não pode ser o Senhor da minha vida se eu for o senhor dela. Para que Cristo esteja no controle, tenho de morrer. Não posso me tornar discípulo sem morrer

---

[1]Nossa salvação é fundamentada na graça de Deus e dela decorrente. A graça de Deus é a fonte. Nossa fé é o instrumento. Mas nossa obediência é a resposta ordenada ao homem, como também a inegável evidência da salvação (Efésios 2.8-10). É a prova da nossa fé. Por isso, Tiago declara que "a fé sem obras é morta" (Tiago 2.17).

para mim mesmo e sem me identificar com Cristo, que morreu pelos meus pecados (Mc 8.34). O discípulo segue o seu Mestre até mesmo à cruz.

Por muito tempo, lutei para entender as implicações práticas de "morrer para si mesmo". Como essa determinada autorrenúncia se manifestaria em minha vida? Ao meditar em Gálatas 2.20, finalmente compreendi: "Fui crucificado com Cristo. Assim, já não sou eu quem vive, mas Cristo vive em mim [...]".

Suponhamos que no dia 1º de janeiro eu estivesse sobrevoando o Kansas quando o avião explodiu. Meu corpo caiu no chão, e morri com o impacto. Depois de algum tempo, um fazendeiro encontrou meu corpo. Não havia pulsação, nenhuma batida do coração nem fôlego. Meu corpo estava frio. Era óbvio que eu estava morto. O fazendeiro fez uma cova. Mas, ao colocar meu corpo na terra, o dia já estava escuro demais para cobri-lo. Decidindo que terminaria o trabalho na manhã seguinte, ele voltou para casa.

Então Cristo veio e me disse: "Keith, você está morto. Sua vida sobre a Terra acabou, mas eu soprarei um fôlego de nova vida em você se prometer fazer qualquer coisa que eu pedir e ir a qualquer lugar que eu mandar".

Minha reação imediata foi: "De maneira nenhuma. Isso não é razoável. É escravidão". Mas, então, reconhecendo que não estava em posição de negociar, sincera e rapidamente concordei.

Instantaneamente, os pulmões, o coração e os demais órgãos vitais voltaram a funcionar. Voltei à vida. Nasci de novo. Daquele momento em diante, não importava o que Cristo pedisse de mim ou aonde me mandasse, eu estava mais que disposto a obedecer-lhe. Nenhuma tarefa seria por demais difícil, nenhum horário cansativo demais, nenhum lugar perigoso demais. Nada era sem motivo. Por quê? Porque eu não tinha direito sobre minha vida; estava vivendo com tempo emprestado, o tempo de Cristo. Keith morrera no dia 1º de janeiro em um milharal do Kansas. Então eu podia dizer com Paulo: "Estou crucificado [morri] com Cristo; já não sou eu [Keith] quem vive, mas Cristo [quem] vive em mim".

É isso que significa morrer para si mesmo e nascer de novo. A ordem de Cristo "Siga-me" é uma determinação para participar de sua morte a fim de experimentar uma nova vida. Você se torna morto para si mesmo totalmente consagrado a ele.

Um grande paradoxo da vida está em que existe imensa liberdade nessa morte. O morto já não se preocupa com seus direitos, com sua independência ou com as opiniões dos outros a seu respeito. Ao unir-se espiritualmente ao Cristo crucificado, riquezas, segurança e *status* — as coisas que o mundo tanto almeja — perdem o valor. "Os que pertencem a Cristo Jesus crucificaram a carne, com as suas paixões e os seus desejos" (Gl 5.24). A pessoa que toma a cruz, que está crucificada com Cristo, não fica ansiosa pelo amanhã porque o seu futuro está nas mãos de outro.

Certo líder da igreja no interior sonhava em realizar um ministério ousado nas ruas. Mas quando os milagres pelos quais ansiava não aconteceram, ele recorreu a fantasias, distorcendo encontros e criando eventos imaginários, esperando conseguir o respeito das pessoas. Ele se tornara escravo de suas visões de grandeza, cativo de suas próprias esperanças.

Sua motivação subconsciente era ganhar o respeito e a admiração do mundo cristão por meio de atos heroicos para o Reino. Paixões, sonhos e visões nunca foram crucificados. Ele nunca foi liberto da pressão de ser um sucesso e de produzir. Nunca experimentou a liberdade que vem de não ter de provar nada, não ter nada a perder. Ele tinha uma ideia distorcida do discipulado. Queria servir a Deus para que pudesse obter glória.

Por outro lado, o morto para si mesmo é liberto a fim de fazer todas as coisas para a glória de Deus (Rm 8.10). Ele coloca tudo o que tem e tudo o que é à disposição permanente de Deus. Sua submissão ao senhorio de Cristo capacita-o a agradar a Deus em cada decisão que toma, em cada palavra que diz e em cada pensamento que tem. O discípulo vê toda a sua vida e todo o seu ministério como adoração (1Co 10.31). Morrer para si mesmo liberta-o para ter prazer em seu amor a Deus.

A morte do eu é pré-requisito essencial para tornar-se discípulo. Qualquer pessoa que não tenha experimentado a morte de si mesmo não pode se qualificar como elo legítimo no processo de discipulado porque é incapaz de reproduzir. Jesus ensinou: "[...] se o grão de trigo não cair na terra e não morrer, continuará ele só. Mas se morrer, dará muito fruto" (Jo 12.24). Sem multiplicação, não existe discipulado.

REPRODUÇÃO

Cristo ordenou que seus discípulos reproduzissem em outros a plenitude de vida que encontraram nele (Jo 15.8). Ele alertou: "Todo ramo que, estando em mim, não dá fruto, ele [o Pai] corta; e todo que dá fruto ele [o Pai] poda, para que dê mais fruto ainda" (Jo 15.2).

Um discípulo maduro tem de ensinar outros cristãos como viver uma vida que agrade a Deus, equipando-os a treinar outros para que ensinem outros. Nenhuma pessoa é um fim em si mesma. Todo discípulo faz parte de um processo, parte do método escolhido por Deus para expandir seu Reino por meio da reprodução. Sabemos isso porque Cristo fez discípulos e ordenou-lhes que fizessem discípulos (Mt 28.19).

Deus poderia ter escolhido qualquer outro método para propagar o evangelho e edificar seu Reino. Não foi por acaso que a língua comum do mundo fosse o grego muito tempo depois de aquele império ter desaparecido. A língua grega possui certas nuanças que a tornam ideal para a comunicação da verdade. Também, as estradas do Império Romano, que uniam o mundo conhecido, podem ter tido o propósito de levar as carruagens do império, mas o comércio mais valioso que levaram foi o evangelho de Cristo.

Da mesma forma que Deus usou a Grécia e Roma como instrumentos involuntários para a propagação do evangelho, ele poderia ter feito que a imprensa, o rádio ou até mesmo a televisão fossem inventados antes do nascimento de Cristo. Jesus poderia ter sido um escritor de renome, um mestre de ensino bíblico pelo rádio ou o primeiro evangelista de televisão. As opções de Deus não eram limitadas.

No entanto, em vez de adotar qualquer um desses métodos sofisticados, Jesus optou pelo discipulado. Ele treinou pessoalmente um pequeno grupo de homens e equipou-os para que treinassem outros que pudessem ensinar outros. Ele ordenou que fizessem discípulos.

Devo confessar que, a princípio, duvidei da sabedoria de Cristo. À primeira vista, esse investimento em indivíduos parecia ser muito lento. Levou três anos para Jesus fazer doze homens discípulos e um deles foi um fracasso.

Pensei que seria feliz se em três anos eu pudesse treinar tão bem uma pessoa que ela pudesse ajudar-me a treinar outros mas, nesse passo, eu jamais conseguiria deixar alguma marca nos 2 milhões de pessoas do gueto de Los Angeles. No máximo, só poderia esperar fazer 16 discípulos em toda a minha vida. De que adiantaria isso? Meu pecado foi duvidar de Deus, de sua sabedoria e de sua soberania.

Quando, porém, estudei o que é discipulado, descobri que Deus escolheu um método sólido e eficaz de edificar seu Reino.

Começaria pequeno, como um grão de mostarda, mas cresceria rapidamente, à medida que se propagasse de uma pessoa para outra ao redor do mundo. Sua Igreja seria um movimento dinâmico, em vez de uma estrutura estática. O discipulado é o único meio de produzir tanto a quantidade como a qualidade que Deus deseja dos cristãos.

Os princípios matemáticos estão corretos

Você pode imaginar o que seria atingir mais de 4 bilhões de pessoas com o evangelho? A tarefa de cumprir a Grande Comissão parece tão estontenante que até os maiores sonhadores poderiam ser vencidos por sua grandeza e acabar nada fazendo. Mas a Bíblia é tanto um livro de método como de mensagem. E o método de Cristo é fazer discípulos.

Quando cheguei ao gueto, estava apaixonado pela evangelização. Imagine que no meu primeiro dia eu conduzisse alguém a Cristo. Em seguida, levasse mais um indivíduo a Cristo todos os dias até o restante do ano. No final do ano, eu teria conduzido 365 pessoas ao Senhor. Se eu continuasse a fazer assim pelos próximos 32 anos, teria atingido 11.680 pessoas. Uma grande realização!

Por outro lado, suponhamos que eu alcançasse apenas uma pessoa para Cristo naquele primeiro ano. Mas, dessa vez, fizesse um treinamento de discipulado com ela durante um ano para que estivesse plenamente alicerçada na fé cristã e fosse capaz de alcançar e fazer outro discípulo. No ano seguinte, nós dois alcançaríamos mais uma pessoa cada um e as treinaríamos para se juntarem a nós no treinamento de outros. Se continuássemos assim por 32 anos, haveria 4.294.967.296 discípulos — quase a população do mundo todo! (Veja a tabela 1.)

Tabela 1

Comparação entre evangelização e discipulado		
Ano	Evangelista	Discipulador
1	365	2
2	730	4
3	1095	8
4	1460	16
5	1825	32
6	2190	64
7	2555	128
8	2920	256
9	3285	512
10	3650	1.024
11	4015	2.048
12	4380	4.096
13	4745	8.192
14	5110	16.384
15	5475	32.768
16	5480	65.536
17	6205	131.072
18	6570	262.144
19	6935	524.288
20	7300	1.048.576
21	7665	2.097.152
22	8030	4.194.304
23	8395	8.388.608
24	8760	16.777.216
25	9125	33.554.532
26	9490	67.108.864
27	9855	134.217.728
28	10.220	268.435.456
29	10.585	536.870.912
30	10.950	1.073.741.824
31	11.315	2.147.483.648
32	11.680	4.294.967.296

Nota: Pressupõe-se que o evangelista atinja uma pessoa por dia e o discipulador treine uma pessoa por ano.

Mencionei minha hesitação inicial. Mas deixe-me compartilhar meu entusiasmo agora. Se cada um dos membros atuais de nossa equipe em Los Angeles fizesse um discípulo a cada dois anos tão bem que seus discípulos pudessem se unir a nós para treinar outros, poderíamos atingir todo o gueto de Los Angeles — 2 milhões de pessoas — em 32 anos. Isso significa que eu só terei de investir em 16 pessoas em 32 anos. Essa é uma tarefa viável.

Apesar de o discipulado ter um começo lento, no final das contas a multiplicação espiritual atinge muito mais pessoas no mesmo espaço de tempo do que a adição, conforme a tabela 2.

A Grande Comissão é possível!

Tabela 2
Comparação entre evangelização e discipulado

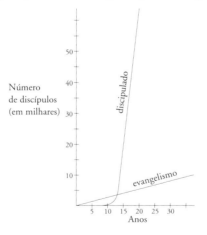

Nota: Pressupõe-se que o evangelista atinja uma pessoa por dia e o discipulador treine uma pessoa por ano.

A reprodução de qualidade é garantida

Se eu estivesse envolvido apenas em evangelização e fosse responsável por mais de 11 mil novos cristãos, levaria de setembro a dezembro de cada ano simplesmente para endereçar um cartão de Natal a cada um deles. Estaria tão ocupado conduzindo pessoas a Cristo que seria impossível cuidar delas ou ajudá-las a crescer. Eu teria necessidade de um computador apenas para lembrar seus nomes. Esse tipo de evangelização negligente produziria crianças espirituais mal cuidadas, o que resultaria em cristãos fracos e superficiais.

Eu costumava gabar-me de minha capacidade de evangelista — como quando me encontrei com um homem no avião, conversei com ele por 50 minutos, conduzi-o a Cristo, mas nunca fiquei sabendo seu sobrenome. De alguma forma, achava que tais feitos destacassem meu vigor espiritual — até perceber que eu tinha abandonado a maioria das "vítimas" após nossos breves encontros. Eu tinha experimentado a empolgação da concepção e a alegria do nascimento sem assumir a responsabilidade de ser pai.

Deixe-me demonstrar a gravidade dessa falta.

Em junho de 1976, minha esposa, Katie, e eu fomos abençoados com o nascimento dos gêmeos Joshua e Paul. Acredite, eles exigiam atenção 24 horas por dia. Nós os alimentamos, ninamos, trocamos suas fraldas e fizemos tudo que bons pais fazem.

Suponhamos que, quando os meninos tivessem 3 meses de idade, Katie e eu resolvêssemos que precisávamos de uma folga (o que era verdade) e, então, colocássemos Joshua e Paul no sofá e conversássemos com eles.

Eu lhes diria que estávamos exaustos e iríamos sair de férias por duas semanas — sem eles. Contudo, lhes asseguraria rapidamente que nada tinham a temer: "Vocês já observaram tudo que temos feito e, assim, já devem saber como cuidar de si mesmos agora. Mas, caso se esqueçam de alguma coisa, nós digitamos uma lista detalhada de instruções para vocês seguirem: como preparar a mamadeira, como se alimentar, como trocar fraldas, quais são os sintomas de algumas coisas. Pregamos essas instruções na porta da geladeira e deixamos o nosso paradeiro, caso vocês tenham necessidade de telefonar para fazer algumas perguntas. Não se preocupem com nada".

Se Katie e eu tivéssemos feito tal loucura com nossas crianças de 3 meses, teríamos sido presos por abandono de filhos. Bebês não podem cuidar de si mesmos nem se alimentar por si mesmos; têm de ser vigiados dia e noite até que tenham idade para sobreviver sozinhos.

O discipulado não pode ser separado da paternidade responsável. O pai espiritual, como o pai biológico, é responsável perante Deus pelo cuidado e pela alimentação do seu filho. Paulo sabia que era pai espiritual dos coríntios: "[...] pois em Cristo Jesus eu mesmo os gerei por meio do evangelho" (1Co 4.15). Ele chamou aos gálatas "meus filhos" (Gl 4.19) a Timóteo "verdadeiro filho na fé" (1Tm 1.2). Ele rogou em favor de Onésimo, "meu filho, que gerei enquanto estava preso" (Fm 10).

O discipulador sabe que a responsabilidade continua até que seu discípulo chegue à maturidade espiritual, à capacidade de reproduzir. Ele investe grande parte do tempo no seu discípulo, dando toda atenção às suas necessidades. Discipulado é reprodução de qualidade que assegura que o processo de multiplicação espiritual continuará de geração a geração.

O Espírito de Deus instituiu um mecanismo de proteção pelo qual se pode controlar a qualidade dos filhos espirituais.

Paulo deixa subentendido que a relação do discipulador com o seu discípulo estende-se por *quatro gerações*. "E as palavras que me ouviu dizer na presença de muitas testemunhas, confie-as a homens fiéis que sejam também capazes de ensinar outros" (2Tm 2.2). Aqui, Paulo (primeira geração) instruiu seu filho espiritual, Timóteo (segunda geração), a ensinar o que tinha aprendido a homens fiéis (terceira geração), os quais, por sua vez, ensinariam outros (quarta geração).

A referência de Paulo a quatro gerações não é mera coincidência. A pessoa que faz discípulos só fica sabendo quão eficazmente ensinou seu aluno quando vê o aluno de seu aluno ensinando outros.

Em 1972, Deus chamou Al Ewert para dirigir nosso trabalho no gueto de Wichita. Fiz dele um discípulo. Gastei horas e horas com Al durante muitos meses, dando-lhe tudo o que sabia sobre o que significa ser um homem de Deus. Procuramos juntos os princípios bíblicos e os aplicamos à nossa vida.

Não demorou muito, Al começou a preparar Donald, que, desde então, fez de Maurício um discípulo.

À luz da ordem do discipulado de treinar outros que ensinem outros, eu (primeira geração) só posso avaliar minha eficácia com Al (segunda geração) observando como Donald (terceira geração) está se saindo com Maurício (quarta geração). Se Al entender plenamente o significado do discipulado (morte de si mesmo e reprodução), então Donald será bem treinado para ensinar Maurício a treinar outros que, por sua vez, ensinem outros. Maurício será a prova de um discipulado prático.

Quatro Gerações

```
Geração       1            2              3              4
           Paulo ⟶ Timóteo ⟶ Homens fiéis ⟶ Outros
           Keith ⟶ Al ⟶ Donald ⟶ Maurício
```

A tendência humana é optar pela produção em massa, em vez da obra de qualidade. Quantas vezes você já não ouviu o comentário: "As coisas não mais são feitas como antigamente"? E quantas vezes a resposta: "É por causa da redução de custo"?

Somente um artesão de primeira linha exige a qualidade acima de tudo. Sua reputação estará em jogo com cada objeto que produz porque coloca seu nome naquilo. Jesus é o mestre discipulador. Como todo cristão leva o nome de Jesus, não existe lugar para a mediocridade no discipulado.

Há dois mil anos, Jesus dirigiu-se a uma grande multidão e a seguidores com clareza e sem rodeios. Ele declarou: "E aquele que não carrega sua cruz e não me segue não pode ser meu discípulo" (Lc 14.27). Jesus limitou as opções de cada ouvinte a apenas duas. Se a resposta do homem for incredulidade, ele desobedece e morre. É inimigo de Cristo (veja Mt 12.30). Se responder pela fé, ele obedece e torna-se discípulo: morre para si mesmo e reproduz. Cristo é o Senhor de sua vida. Para Jesus, não há alternativas.

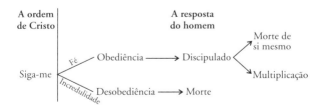

Cristo sabia que essa seria a decisão mais importante que uma pessoa poderia tomar e, assim, advertiu acerca do custo (Lc 14.28). E, por mais incompreensível que pareça, muitos se retiraram, "voltaram atrás e deixaram de segui-lo" (Jo 6.66).

A ordem transformadora de Cristo, "Siga-me", não só engloba hoje tudo como também englobava tudo quando foi proferida às margens do mar da Galileia. Essa ordem não pode ser tratada com leviandade. O destino eterno das pessoas depende de nossa resposta.

Ou você preserva seus direitos, suas possessões e sua vida como está agora, ou entrega tudo que tem ao senhorio de Cristo em troca da vida eterna e da paz com Deus. Nada agradaria mais a Cristo do que se você fizesse como Levi: "[...] levantou-se, deixou tudo e o seguiu" (Lc 5.28).

O chamado de Cristo ainda ecoa pelos séculos: "Venha morrer comigo!".

Lista de verificação do discípulo — *O que é discipulado?*
- ☐ Morri para mim mesmo.
- ☐ Estou reproduzindo em outras pessoas a plenitude de vida que tenho em Cristo.

Segunda parte

Quem é discípulo?

3
Como saber se você é discípulo?

Muitas pessoas dizem ter experimentado a morte de si mesmas e estar vivendo totalmente consagradas a Cristo. Mas Jesus disse: "Nem todo aquele que me diz: 'Senhor, Senhor', entrará no Reino dos céus, mas apenas aquele que *faz* a vontade de meu Pai que está nos céus" (Mt 7.21; grifo do autor).

A experiência de um amigo meu chamado Ed ilustra quão sério é o erro de identidade. Quando o preço do ouro subiu vertiginosamente, dando início a mais uma corrida do ouro na Califórnia, Ed, decidido a ficar rico, comprou terras na região. Durante dois meses, ele trabalhou 18 horas por dia e nada encontrou senão terra e pedras. Então descobriu um minério amarelo. Pensou que tivesse encontrado uma fortuna. Levou correndo o minério a um avaliador e começou a planejar a contratação de mais empregados e fazer uma viagem pela Europa.

Entretanto, para a consternação de Ed, o avaliador anunciou que o minério era pirita de ferro. Ed não podia acreditar. Estava certo de que o avaliador tinha-se enganado. Mas não importava quanto Ed protestasse, não podia contestar o cheiro de enxofre que saía da fornalha. O próprio minério resolveu a questão.

O minerador tem de estar certo de que aquilo que encontrou é ouro antes de usá-lo para adquirir bens e serviços. Assim também acontece com Deus. Ele exige que *sejamos* discípulos de Cristo antes de nos usar para realizar sua obra.

Como saber se você é um discípulo de Cristo? Como saber se você já morreu para si mesmo e está apto a reproduzir? A evidência inegável ao discernir se alguém é uma versão espiritual de imitação de ouro ou o artigo genuíno é a presença de um caráter semelhante ao de Cristo. Se o caráter de Cristo estiver faltando, você ainda não morreu para si mesmo e não está preparado para reproduzir.

Talvez a maior dificuldade que você tenha de enfrentar seja crer de fato que seu caráter é mais importante do que sua capacidade ou suas habilidades. Tal ideia é tão incomum ao mundo que, mesmo depois de entregar-se à morte de si mesmo, você a achará estranha.

Tive uma grande luta com isso. Durante anos, eu vi pregadores empregarem toda espécie de tática emotiva para induzir as pessoas a aceitarem Cristo. Alguns imploravam à congregação, sugerindo que estariam fazendo um favor a Jesus se o seguissem. Outros faziam convites tão amplos que nenhuma pessoa sincera poderia deixar de atender. Insistiam em que todos os que tivessem algum mau pensamento ou dado vazão a alguma motivação impura ou quebrado um só ensinamento bíblico viessem à frente. Pregavam como se Deus fosse julgá-los pelo número de pessoas que respondessem ao apelo, e não por compaixão, como teve Cristo dos homens.

Concluí que quanto mais pessoas eu conduzisse a Cristo, mais valor teria. Eu procurava atrair as pessoas às reuniões cristãs com truques que prostituíam o evangelho: concursos, lutas de balões d'água e até mesmo casas mal-assombradas. Esforçava-me por lustrar minha apresentação do plano de salvação e refinar os apelos que fazia depois da pregação. Quando poucas pessoas respondiam ao apelo, eu ficava envergonhado. Eu tinha uma mentalidade que valorizava feitos.

Sempre soube em minha mente que só o Espírito de Deus movia as pessoas ao arrependimento e à confissão e que fui chamado apenas para testemunhar, e não para convertê-las. Contudo, agia como se a qualidade da minha vida cristã e a salvação dos outros dependessem da minha capacidade e criatividade na evangelização.

Finalmente, a Bíblia alertou-me para a verdade. Primeiramente, e acima de tudo, Deus queria que eu tivesse o caráter de Cristo — *fosse* cristão. Só então ele operaria por meio de mim para a sua glória.

Que revelação paralisante! Eu havia confundido ativismo e a resposta do homem com retidão; havia substituído a adoração por atividades. De repente, minha segurança nas boas obras foi destruída.

A verdade era dolorosamente clara. É necessário *ser* médico antes de tratar dos doentes. É necessário *ser* advogado antes de advogar. Do mesmo modo, eu teria de *ser* como Cristo antes de realizar sua obra.

O caráter cristão consiste na união de qualidades mentais e éticas que o capacitem "para que vocês vivam de maneira digna de Deus, que os chamou para o seu Reino e glória" (1Ts 2.12); exibe o fruto do Espírito: amor, alegria, paz, paciência, amabilidade, bondade, fidelidade, mansidão, domínio próprio (Gl 5.22,23).

Um exame cuidadoso do ministério de Cristo revela que, entre as virtudes que caracterizavam sua vida, quatro qualidades destacavam-no de todas as demais pessoas como o Filho unigênito de Deus: obediência, submissão, amor e oração.

Quando descobri isso pela primeira vez, fiquei aturdido. Será que o Deus encarnado escolheu edificar sua Igreja sobre o fundamento dessas quatro qualidades? Pareciam características de uma pessoa fraca — de alguém que depende totalmente de outra para ter direção, motivação e confiança.

No entanto, era exatamente isso. Essas qualidades descreviam perfeitamente a relação de Cristo com o Pai. A força de Cristo vinha de sua dependência do Todo-poderoso. E, se eu quisesse ser usado por Deus, minha relação com ele teria de ser moldada conforme a do meu Senhor. O caráter cristão é construído por meio de minha disposição (exercício de minha vontade) em sujeitar cada aspecto de minha vida à imagem de Cristo.

Alguns cristãos têm procurado entrar no nosso ministério de discipulado com a condição de que seus talentos sejam utilizados. Mas tal perspectiva é uma negação da morte de si mesmo e demonstra que seus valores estão distorcidos. A principal ocupação do discípulo deve ser que seu caráter seja construído e multiplicado. Um doutor em Filosofia, um mestre em Divindade, um assistente social não são necessariamente mais valiosos para uma organização missionária como é a Impacto Mundial. Essas pessoas não são tratadas de um modo diferente de como outras são tratadas. Todos nós procuramos fazer discípulos, mas sabemos que isso é impossível sem que sejamos primeiramente discípulos. Precisamos conhecer a Deus antes de torná-lo conhecido.

O discípulo emprega qualquer dom ou talento que construa o Reino ou edifique o corpo. Ele confiantemente deixa de exercer habilidades que possam nutrir seu orgulho ou impedir sua maturidade cristã. O enfoque do homem morto para si mesmo é Deus. Ele procura ser como Cristo.

Se algum homem tivesse motivo para encontrar segurança em sua reputação, capacidades ou credenciais este seria o apóstolo Paulo. Mas ele reconhecia que isso tudo era lixo em comparação a ser como Cristo (Fp 3.8). A capacidade da pessoa nada vale sem um caráter reto. É claro que mortal algum pode atingir tais qualidades por seus próprios esforços. Mas Deus predestinou os discípulos, a serem "conformes à imagem de seu Filho" (Rm 8.29).

Certo dia, eu velejava pela costa da Califórnia com um amigo quando um nevoeiro denso e inesperado surgiu, impedindo a visibilidade quase por completo. Tínhamos medo de que jamais chegássemos ao cais. Navegamos por uns 45 minutos sem saber onde estávamos quando, de repente, ouvimos o som fraco mas distinto da buzina de nevoeiro. Dirigindo nosso barco orientados por aquele som providencial, cuidadosamente chegamos afinal à baía e ao cais. Se não tivéssemos ouvido o sinal, teríamos ficado à deriva no oceano.

Se você não tiver um alvo para sua vida, é provável que fique à deriva. Se o seu alvo for o nada, provavelmente o atingirá. É por isso que você tem de ter uma compreensão perfeita da pessoa que Cristo quer que você *seja*.

Obediência, submissão, amor e oração são os objetivos pelos quais você e cada discípulo que fizer deverão lutar. Servem de instrumento para medir o seu crescimento e o progresso daqueles a quem discipula. São tão importantes que os examinaremos individualmente nos capítulos seguintes.

> Lista de verificação do discípulo — *Como saber se você é discípulo?*
>
> ☐ Meu caráter semelhante ao de Cristo é evidência de que morri para mim mesmo (sou um discípulo).
>
> ☐ Meu caráter é mais importante do que minhas capacidades e habilidades.

4
Obediência

A obediência é o primeiro distintivo do discípulo. Obedecemos a Deus porque ele é o Senhor soberano do Universo, e nossa obediência é a única resposta aceitável para sua inefável bondade (Rm 2.4).

Jesus disse: "Se vocês me amam, obedecerão aos meus mandamentos" (Jo 14.15). Somente os que obedecem à Palavra de Deus demonstram seu amor a ele. O seu amor a Cristo fez que você obedecesse à ordem dele de arrepender-se e segui-lo. O seu batismo, que ilustrou simbolicamente a morte de si mesmo e a entronização de Cristo como Senhor da sua vida, foi mais um passo de obediência (Rm 6.3,4). E a vida cristã é uma peregrinação contínua de obediência.

Há alguns anos, visitei uma base militar. Fiquei impressionado com a obediência que os soldados demonstravam ao sargento. Quando ele ordenava que corressem, eles corriam. Quando mandava limpar os banheiros, limpavam. Não havia debate nem hesitação — apenas ação imediata.

Os soldados obedeciam ao sargento porque ele obedecia ao tenente, que, por sua vez, dentro da cadeia de comando, obedecia ao general. Se os soldados se recusassem a obedecer ao sargento, estariam desafiando a autoridade do general e sujeitos a graves penalidades. O seu bem-estar contínuo dependia de sua obediência.

Percebi que entre os militares a motivação para a obediência muitas vezes é o medo, enquanto a motivação cristã para a obediência é o amor. Contudo, o comportamento militar exemplifica um princípio importante para os cristãos: nosso bem-estar é resultado direto de nossa obediência.

Somos capacitados para obedecer sistematicamente a Deus, mediante o conhecimento da Escritura e de nossa vontade submissa.

VOCÊ PRECISA CONHECER A PALAVRA DE DEUS

"[...] felizes são aqueles que ouvem a palavra de Deus e lhe obedecem" (Lc 11.28). É audácia acreditar que seja possível obedecer a Deus sem primeiro conhecer a vontade dele.

É injusto castigar uma criança por não fazer aquilo que se quer dela se você nunca lhe disser o que espera que ela faça. Deus, porém, não é injusto. Ele revelou claramente sua vontade para conosco por meio de sua Palavra. Portanto, precisamos estudar a Bíblia (2Tm 2.15), compreendendo que ela nos instrui em justiça e nos ensina a viver de modo que agrade a Deus (2Tm 3.16).

A Bíblia revela a vontade de Deus. Mas, como a maioria de nós sabe, estudar a Bíblia é um trabalho árduo. Para guardar a verdade que está nela é preciso um estudo cuidadoso, em vez de uma leitura superficial nas horas de lazer. Muitos cristãos permanecem "analfabetos" do ponto de vista bíblico e privam-se de sustento espiritual, motivação e bênção simplesmente porque têm preguiça de estudar a Palavra de Deus.

Faz alguns anos, convenci-me do erro de ser obeso e estar fora de forma. Assim comprometi-me perante Deus e minha família a correr todos os dias. Eu sabia que correr melhoraria minha saúde. No começo, era uma lástima. Era raro o dia em que eu quisesse correr. Eu sempre podia pensar em inúmeras razões pelas quais poderia deixar de enfrentar a manhã fria ou úmida — por apenas um dia. Mas, por vontade própria, forcei-me a cumprir esse compromisso.

Então comecei a perder peso e me sentir melhor. E o correr tornou-se mais fácil. Afinal, perdi 20 quilos! Tenho de admitir que ainda não gosto de correr; minhas emoções tentam convencer-me de que eu poderia deixar para o dia seguinte. Mas sei que não é assim e até hoje continuo a correr diariamente.

Encontrei muitos paralelos entre o estudo da Palavra de Deus e a corrida. A parte mais difícil de toda atividade é o início. Mas, uma vez que começo, realmente tenho prazer em ambas. E, quando termino, fico satisfeito por tê-las feito. O esforço ajuda-me a melhorar. Nos dois casos, minhas emoções oferecem várias razões pelas quais eu "legitimamente" poderia adiá-las por apenas um dia. No entanto, se deixo de praticá-las por um dia, torna-se mais fácil justificar minha procrastinação no dia seguinte. Quando as pratico com regularidade, minha força aumenta, e elas se tornam menos difíceis. O discípulo tem vontade de estudar a Palavra de Deus.

Jesus disse: "Se vocês permanecerem firmes na minha palavra, verdadeiramente serão meus discípulos" (Jo 8.31). Impregnar-se da Palavra de Deus deve ser prioridade na vida do discípulo "para que o homem de Deus seja apto e plenamente preparado para toda boa obra" (2Tm 3.17). É necessário que estejamos sempre "preparados para responder a qualquer pessoa que [nos] pedir a razão da esperança que há em [nós]" (1Pe 3.15).

As experiências das personagens bíblicas são documentadas como exemplos para nossa instrução (1Co 10.11). Devemos descobrir continuamente princípios bíblicos e aplicá-los à nossa vida (Sl 119.7,8).

Estou convicto de que existe um princípio orientador ou uma ordem direta na Palavra de Deus para cada decisão que tenho de tomar. Se não conheço a vontade de Deus em dada situação, é mais que provável que eu não conheça a Palavra de Deus.

Quando alguém me procura pedindo conselho quanto a alguma decisão importante, minhas primeiras perguntas são: "Você já estudou a Palavra? Já ouviu o que o próprio Deus diz a esse respeito?". Fico surpreso ao ver as pessoas buscarem o meu conselho antes de procurarem o de Deus. Precisamos do conselho de pessoas íntegras que nos conheçam bem e à Bíblia, mas isso deve *vir depois* do estudo da aplicação dos princípios bíblicos e da oração.

Quando confrontados com um dilema sério, uma tentação severa ou uma decisão importante, só os ingênuos acreditam que possam fazer uma rápida oração a Deus, abrir a Bíblia e, como num passe de mágica, descobrir a resposta. Embora Deus não seja limitado, o Espírito Santo geralmente escolhe trazer à nossa memória as coisas que já estão lá. Jesus admoestou: "Vocês estão enganados porque não conhecem as Escrituras nem o poder de Deus" (Mt 22.29). O discípulo tem de ter um conhecimento operante da Palavra de Deus.

Uma professora acreditava que Deus a estava levando a rescindir o contrato com uma escola para vir trabalhar conosco. Ela estava confiante de que essa era a vontade de Deus porque tinha "paz" a esse respeito.

Sempre fico empolgado quando novos missionários se unem a nós para trabalhar no gueto. Nossa equipe atual não tem condições de alcançar todas as pessoas que estão buscando conhecer a Deus por meio do nosso ministério. Mas eu sabia que não era a vontade de Deus que essa professora quebrasse o seu contrato. Deus diz: "Quando um homem fizer um voto ao Senhor ou um juramento que o obrigar a algum compromisso, não poderá quebrar a sua palavra, mas terá que cumprir tudo o que disse" (Nm 30.2). A Palavra de Deus, e não "um sentimento de paz", revela a vontade dele. Lembra-se de Jonas? Ele não tinha "paz" quanto a ir a Nínive, embora essa fosse definitivamente a vontade de Deus, conforme revelada pela "palavra do Senhor" (Jn 1.1).

Creio que essa professora desejasse sinceramente obedecer a Deus, e seus sentimentos levaram-na a crer que estivesse certa. Mas a vida cristã baseia-se na obediência à Palavra de Deus, e não em seguir as emoções. Paulo disse: "[...] sejam crianças; mas, quanto ao modo de pensar, sejam adultos [...]" (1Co 14.20). "Fé como a de uma criança" não é permissão para ignorância. Paulo disse repetidas vezes: "Não quero que sejam ignorantes".

Sem conhecimento adequado da Palavra de Deus, o discípulo, baseando-se em sentimentos, esperanças e opiniões, estará arriscando seu futuro, em vez de garanti-lo na vontade de Deus e nos fatos de sua fé. O discípulo experimenta a descoberta de Jeremias: "Quando as tuas palavras foram encontradas, eu as comi; elas são a minha alegria e o meu júbilo, pois pertenço a ti, Senhor Deus dos Exércitos" (Jr 15.16).

É PRECISO DECIDIR OBEDECER

É necessário estar comprometido a obedecer à Palavra de Deus mesmo antes de saber o que ela diz. Anos atrás, um conhecido equilibrista preparava-se para atravessar as cataratas do Niágara num cabo de aço. Ele perguntou à multidão se acreditava que ele pudesse fazê-lo. Ao afirmarem que sim, ele perguntou mais uma vez: "Realmente acreditam que eu consiga?". Quando os gritos dos espectadores demonstraram fé absoluta, solicitou um voluntário para ser carregado por ele nas costas.

Compromisso é ligar-se a uma pessoa, a um ideal ou a um alvo, não importam as consequências. Seu compromisso é um voto de estar unido a Cristo, a tornar-se um com ele, a colocar o futuro e a própria vida nas mãos dele. Paulo roga aos cristãos "que se ofereçam em sacrifício vivo, santo e agradável a Deus" (Rm 12.1).

A maioria dos cristãos *quer* obedecer à Palavra de Deus, mas querer não é suficiente. Querer é função das emoções e oscila com os sentimentos. O discípulo decide obedecer à Palavra de Deus.

Deus não espera que você, à semelhança de Cristo, decida obedecer por seus próprios esforços. Paulo ensina que "é Deus quem efetua em [você] tanto o querer quanto o realizar, de acordo com a boa vontade dele" (Fp 2.13). Sua vontade, capacitada pelo Espírito Santo, pode vencer seus sentimentos e levá-lo a agir conforme seu compromisso anterior com Cristo (Rm 8). Lembro-me de certa vez ter-me hospedado num hotel que tinha uma piscina com trampolim bem alto. Com bastante medo, resolvi aventurar-me a saltar daquele trampolim. Com cuidado, subi a escada de metal até o topo e fiquei tremendo sobre a prancha de fibra de vidro. Não tinha dúvida de que a gravidade podia puxar-me para a piscina. Mas também sabia que seria improvável que isso acontecesse enquanto eu não saltasse. Podemos comparar a força da gravidade com a obra de Deus que nos capacita; sempre que escolhermos obedecer, ela estará à nossa disposição.

Hoje em dia, uma filosofia amplamente difundida é: "Se você gosta, então faça-o". Para muitos, tem-se tornado lei máxima evitar sentimentos e experiências negativos. Os homens erroneamente acham que prazer e felicidade são sinônimos. Satanás é mestre em fazer que o mal pareça bem. Ele pinta a maldade com beleza sedutora e promete gratificação e deleite. Se os pecados não fossem agradáveis, não seriam uma tentação.

Um homem que tinha acabado de abandonar a esposa para encontrar felicidade declarou confiantemente que tinha a aprovação divina. Deus queria que ele fosse feliz, e isso era impossível na sua situação atual — apesar do voto "na alegria e na tristeza... até que a morte nos separe". Ele poderá encontrar prazer momentâneo, mas não encontrará a felicidade. A verdadeira felicidade só é encontrada por meio da obediência a Deus.

Quando há conflito entre a Palavra de Deus e os sentimentos, o discípulo resolve fazer o que Deus ordena. É nisso que se resume o cristianismo. Uma das grandes tragédias do cristianismo do século 20 é que muitos cristãos que conhecem a Bíblia foram educados longe da obediência. Alguns cristãos utilizam o método "mergulhe e pule" de obediência à Escritura. Eles mergulham nas promessas e pulam as ordens. Ou, então, enfatizam certos versículos "importantes" e ignoram outros, desvalorizando 2Timóteo 3.16, que declara: "*Toda* a Escritura é inspirada por Deus [...]" (grifo do autor).

Meus primeiros contatos com os jovens de Watts foram marcados por argumentos e longas discussões sobre perguntas como: "Você pode me provar que Deus existe?", "Como uma virgem poderia ter um filho?" ou "Por que um Deus de amor permite a pobreza ou o abuso de crianças?".

Eu sabia que a Palavra de Deus dizia: "Evite, porém, controvérsias tolas, genealogias, discussões e contendas a respeito da Lei, porque essas coisas são inúteis e sem valor" (Tt 3.9). Mas eu achava que só assim poderia persuadir os rapazes da rua a crerem em Cristo e deixei de lado o princípio bíblico. Eu estava sinceramente tentando convertê-los, mas desobedecendo à Palavra de Deus. E nunca venci uma discussão.

Afinal, tentei usar o método de Deus. Não argumentei nem tentei defender a Bíblia, mas simplesmente proclamá-la (2Tm 4.2). Comecei a orar por aqueles jovens. Quando surgia a oportunidade, falava-lhes do amor de Deus. Não demorou muito, o Espírito de Deus convenceu quatro deles a seguirem Cristo. Mas os outros nunca o fizeram. O coração deles endurecera com os nossos debates. Cristo tinha-se tornado uma piada, e o cristianismo, uma brincadeira.

Eu poderia não ter impedido a obra do Espírito Santo se tivesse simplesmente obedecido a Deus, totalmente e sem questionamento. Não tinha o direito de escolher o que obedeceria e o que deixaria de lado. Saber o que a Bíblia diz sem obedecer é uma afronta detestável a Deus.

Romanos 6.16 pergunta: "Não sabem que, quando vocês se oferecem a alguém para lhe obedecer como escravos, tornam-se escravos daquele a quem obedecem: escravos do pecado que leva à morte, ou da obediência que leva à justiça?". Como o cristão tem um compromisso de obedecer à vontade de Deus à medida que o Espírito Santo a revela, ele estuda a Palavra de Deus com um compromisso de viver aquilo que aprende. Essa resolução é uma evidência inquestionável de que se é um discípulo de Cristo.

Lista de verificação do discípulo — *Obediência*
- ☐ Estudo fielmente a Palavra de Deus.
- ☐ *Decido* obedecer à Palavra de Deus.

5
Submissão

Submissão com alegria é a segunda característica de um discípulo. A submissão é muito mais do que obediência. É uma atitude interior de confiança no Deus soberano, amoroso e onisciente.

Durante meu primeiro ano em Watts, eu descia a Rua 103 com três amigos adolescentes. De repente, um dos rapazes gritou: "Atire-se ao chão!" Outro me jogou ao chão na hora em que uma bala de revólver passava raspando por cima da minha cabeça. Fiquei tremendo. Depois que me recompus, perguntei aos rapazes como sabiam que um tiro seria dado, especialmente porque vinha de trás de nós. Um deles sorriu e, debochado, perguntou: "Então você estudou na Universidade da Califórnia e não reconhece o som de um revólver sendo engatilhado?"

Fiquei grato pela perícia que demonstraram; daquela hora em diante, senti-me feliz por submeter-me à liderança deles quanto à sobrevivência nas ruas. Eles nunca tiveram de me dizer uma coisa duas vezes. A palavra deles era lei. Eu confiava neles. Cristo convida-nos a confiar nele: "Venham a mim, todos os que estão cansados e sobrecarregados, e eu lhes darei descanso.

Tomem sobre vocês o meu jugo e aprendam de mim, pois sou manso e humilde de coração, e vocês encontrarão descanso para as suas almas. Pois o meu jugo é suave e o meu fardo é leve" (Mt 11.28-30).

"Tomem o meu jugo" significa submeter-se à autoridade de Cristo, confiar nele. Submissão é a precondição para o resto que Cristo promete a seus discípulos.

Quando comecei a dirigir um carro, observava o limite de velocidade, mesmo sem o querer. Minha motivação para a obediência à lei, porém, não era confiança, e sim medo. Não queria ser multado e ter de pagar um seguro mais alto. O Estado estava satisfeito com minha obediência à sua autoridade, não obstante minha motivação.

Cristo, porém, não se agrada de mera obediência. Ele quer também que seus discípulos sejam submissos — que confiem nele. Existe muita diferença entre submissão e obediência.

Os fariseus oferecem um exemplo clássico de *obediência sem submissão*. Eles obedeciam à letra da lei sem compreender o espírito pelo qual Deus desejava que ela fosse interpretada. Eles não confiavam no julgamento de Deus porque a sua lei mais alta, a lei do amor, era-lhes totalmente estranha.

A Bíblia também relata incidentes de *submissão sem obediência*. Se as leis dos homens entram em conflito com as leis de Deus, o discípulo pode ainda ter espírito submisso demonstrando abertamente sua confiança em Deus.

Pedro e João mantiveram espírito submisso a Deus mesmo quando desobedeciam a uma lei injusta. Quando aqueles que tinham autoridade sobre os apóstolos ordenaram-nos a parar de ensinar a respeito de Jesus, eles se recusaram a obedecer (At 4.18-20). Continuaram a ensinar a respeito de Cristo e ainda oraram pedindo ousadia para fazê-lo. A submissão à autoridade suprema de Deus exigiu que desobedecessem às autoridades temporais.

Note, por favor, que Pedro e João não ocultaram sua desobediência, mas pregaram abertamente, confiando as consequências ao Senhor. Eles estavam dispostos a sofrer mais punições se assim as autoridades resolvessem, sabendo que sua obediência pública a Deus traria glória a ele.

Se os apóstolos viessem a se sentir "culpados" caso alguém os "pegasse" fazendo aquilo que acreditavam ser justo, não teriam espírito submisso. Um ato realizado com espírito submisso não causa culpa. Se o discípulo desobedece abertamente às autoridades temporais em obediência direta à vontade de Deus, como a oração ilegal de Daniel (Dn 6.10), e estiver disposto a sofrer as consequências, ele é submisso.

Nos anos 60, nos Estados Unidos, muitos cristãos participaram de protestos não-violentos contra as leis injustas de discriminação racial. Eles sabiam que todos os homens foram criados à imagem de Deus e que a dignidade é nosso direito nato. Cristãos negros sentaram ilegalmente em lugares reservados aos brancos nos ônibus e, ousadamente, fizeram seus pedidos em restaurantes de brancos. Desafiaram abertamente as autoridades civis, obedecendo a uma lei mais alta. Com essas demonstrações, esses cristãos permaneceram submissos a Deus — livres de culpa e dispostos a sofrer as consequências de seus atos.

O discípulo luta por manter uma atitude de confiança na autoridade de Deus, não importa o preço.

Quatro verdades bíblicas orientam-no nesta busca.

A AUTORIDADE DE CRISTO É SUPREMA

Jesus disse: "Se alguém vem a mim e ama o seu pai, sua mãe, sua mulher, seus filhos, seus irmãos e irmãs, e até sua própria vida mais do que a mim, não pode ser meu discípulo. E aquele que não carrega sua cruz e não me segue não pode ser meu discípulo" (Lc 14.26,27). Esse texto refere-se à autoridade à qual uma pessoa se submete, e não ao afeto natural. Sua submissão a Cristo, sua confiança nele, tem de ser de tal forma grande que, em comparação, sua ligação com autoridades conflitantes é como se fosse ódio. Tal submissão completa à autoridade de Cristo é irracional para qualquer pessoa que não seja um homem morto para si mesmo, isto é, alguém que fez de Cristo Senhor de sua vida.

Os que vivem nos guetos são muitas vezes confrontados com autoridades conflitantes. Hattie é mãe de várias crianças do nosso clube bíblico. Vivem em extrema pobreza; muitas vezes, passam sem ter o que comer ou com que se vestir. À medida que fomos ao encontro das necessidades físicas dessa família, em nome de Cristo, Hattie veio a amar Jesus e obedecer à sua ordem de segui-lo.

Seu marido era traficante de drogas, do México para o sul da Califórnia. Muitas vezes, ele forçava Hattie e as crianças a ajudá-lo. Ele amarrava um pacote de heroína à perna de Hattie, escondendo-o debaixo de seu vestido. Ou prendia-o sob as roupas das crianças. Ameaçava surrar ou até mesmo matar a família se recusassem a obedecer. Motivados pelo medo do sofrimento físico, do qual tinham sido vítimas frequentes, eles obedeciam. Quando Hattie aceitou Cristo, enfrentou uma crise severa. Ela sabia que desobedecia a Deus ao transgredir a lei do país e colocava seus filhos em perigo. Mas, se recusasse obedecer ao marido, as consequências seriam terríveis. Que autoridade tem a precedência? A quem ela devia submeter-se: a Cristo ou ao marido? Jesus não deixou dúvidas. A autoridade de Cristo é suprema (Mt 23.10).

Assim, arriscando a própria vida e a de seus filhos, Hattie obedeceu a Cristo, tomou a sua "cruz" e o seguiu.

Enquanto eu lutava para entender o que significava confiar em Deus, Lucas 14.33 me atingiu em cheio: "Da mesma forma, qualquer de vocês que não renunciar a *tudo* o que possui não pode ser meu discípulo" (grifo do autor). Ao fazer uma relação das minhas bênçãos, de todas as coisas que considero preciosas — minha esposa, meus filhos, meu trabalho, minha saúde, meus amigos, minha reputação, meu lar —, percebi que qualquer delas podia tornar-se em um deus para mim. Tive de admitir que, se Deus quisesse levar uma ou todas elas, eu realmente entraria em crise.

Então Deus me lembrou de que eu era um homem morto. E um homem morto não tem possessões. Renunciei a todos os meus direitos a essas bênçãos quando Cristo se tornou Senhor da minha vida. Agora ele simplesmente as emprestava. Se Deus escolher, em sua divina sabedoria, remover uma ou todas essas coisas que tanto amo, creio que ele sabe o que faz e me dará a graça de continuar a me deleitar nele.

Alguns cristãos estabelecem condições para a obediência, como: "Irei aonde o Senhor me mandar, exceto para Watts" ou "Farei tudo que o Senhor ordenar — se ele me der a garantia de que nenhum mal acontecerá à minha mulher". O que isso realmente significa é: "Não vou a lugar nenhum nem faço nada, a não ser que eu queira".

Quando estabelecemos condições para obedecer a Deus, negamos completamente nossa confiança nele. Qualquer reserva quanto à submissão a Deus demonstra que achamos que sabemos cuidar de nós mesmos melhor do que Deus, e que Deus não sabe o que é melhor para nós. Que tolice! Qualquer coisa menos que submissão com alegria é negação da autoridade suprema de Deus, negação de sua sabedoria, de seu amor e da morte do nosso próprio eu.

CRISTO REINA HOJE POR MEIO DA AUTORIDADE DELEGADA

Jesus declarou: "Foi-me dada toda a autoridade nos céus e na terra". Baseado nisso, ele comissionou seus discípulos: "Vão e façam discípulos de todas as nações". Implícito nessa ordem estava o investimento de sua autoridade nos discípulos para edificar e regulamentar sua Igreja, pois ele mandou que o fizessem "em nome do Pai e do Filho e do Espírito Santo" (Mt 28.18,19).

Jesus disse a seus discípulos: "Quem recebe vocês, recebe a mim; e quem me recebe, recebe aquele que me enviou" (Mt 10.40). Aqui estava a cadeia de autoridade: Cristo representava o Pai, os apóstolos representavam Cristo. Receber um apóstolo era como receber o Pai (Jo 13.20); rejeitar um apóstolo era rejeitar Cristo e o Pai.

O apóstolo Paulo fez referências frequentes à autoridade que tinha, dada por Deus: "Pois mesmo que eu tenha me orgulhado um pouco mais da autoridade que o Senhor nos deu, não me envergonho disso, pois essa autoridade é para edificá-los, e não para destruí-los" (2Co 10.8). Muitas vezes, Paulo exerceu esta autoridade: "Irmãos, em nome do nosso Senhor Jesus Cristo nós lhes ordenamos [...]" (2Ts 3.6).

Os primeiros discípulos delegaram a autoridade recebida de Cristo àqueles que eles treinaram. Com a autoridade de Cristo, designaram líderes para a Igreja (At 6.3,6;14.23) e comissionaram-nos a instruir outros, que, por sua vez, ensinariam ainda a outros (2Tm 2.2).

Paulo confiou sua autoridade a Tito (Tt 1.5) e instruiu-o: "[...] repreenda-os severamente, para que sejam sadios na fé [...]" (Tt 1.13) e "[...] repreendendo-os com toda a autoridade. Ninguém o despreze" (Tt 2.15).

Paulo esperava que os cristãos se submetessem à autoridade de dois de seus discípulos como se estivessem submetendo-se ao próprio Cristo: "[...] que se submetam a pessoas como eles e a todos os que cooperam e trabalham conosco" (1Co 16.16). Na igreja do Novo Testamento, os discípulos da segunda e terceira gerações exerciam livremente sua autoridade.

Como toda a autoridade vem de Deus (Rm 13.1-5) e ele dá autoridade a quem lhe aprouver (Ef 4.11,12), nossa atitude para com aqueles aos quais ele confia autoridade reflete a nossa verdadeira atitude para com Deus. Sempre que sua autoridade delegada toca a nossa vida, Cristo requer que a reconheçamos e nos submetamos a ela com alegria, assim como faríamos se fosse para com o próprio Cristo. Nossa submissão é uma declaração de confiança em Deus.

VOCÊ RECEBE AUTORIDADE POR MEIO DA SUBMISSÃO

A autoridade exercida por alguém é determinada pela autoridade à qual essa pessoa se submete. O centurião romano sabia que, se Cristo dissesse uma palavra, seu servo seria curado. Ele explicou sua confiança: "[...] pois eu também sou homem sujeito a autoridade, e com soldados sob o meu comando" (Lc 7.8). Ele compreendia o poder conferido na delegação de autoridade. Enquanto estivesse submisso a seus líderes, toda ordem que ele proferia levava consigo a autoridade do imperador romano. Desobedecer a ele seria aviltar o imperador. A autoridade do centurião era grande por causa de quem ele representava.

O centurião reconheceu o mesmo princípio em Cristo. Como ele representava Deus, e era completamente submisso à vontade do Pai, cada palavra proferida por Jesus era investida da autoridade de Deus (Ef 1.20-23). A confissão do centurião: "[...] eu também sou homem sujeito a autoridade", sintetiza a base bíblica para toda verdadeira autoridade: a pessoa que não for submissa não tem direito de exercer autoridade.

Certo dia, vi um imenso engarrafamento de trânsito no centro de Los Angeles. Um homem estava no meio de um cruzamento bastante movimentado, parando o trânsito conforme queria, primeiro em uma direção, depois em outra. Finalmente, ele parou o trânsito em todas as direções.

Os motoristas estavam furiosos. Espectadores gritavam. Eu não sabia o que pensar. O homem parecia competente. Vestia-se bem, estava barbeado e aparentemente não se incomodava com a confusão que estava causando. Mas eu não podia entender os seus motivos. Não havia incêndio, nem acidente ou ferimento.

Quando a polícia chegou e levou o homem até a calçada, a multidão vaiou e gritou: "Levem-no para o hospício. Ele precisa de psiquiatra!". O homem foi julgado por aqueles que estavam dispostos a interná-lo porque havia exercido uma autoridade que obviamente não possuía. Ele não era policial nem membro do corpo de bombeiros. Era um cidadão comum... procurando encontrar suas lentes de contato! A multidão concluiu que qualquer pessoa que exercesse autoridade sem estar sob autoridade deveria ser louca.

O cristão não tem autoridade, a não ser que venha de Cristo. E, como Cristo reina por meio da autoridade delegada, quando recusamos a nos submeter aos que têm autoridade sobre nós, perdemos nossa autoridade. Vemos exemplo disso quando

João instruiu Gaio a que não obedecesse a Diótrefes, porque Diótrefes não obedecia a João (3Jo 9-11).

A indisposição de se submeter aos que têm autoridade sobre nós é um grande pecado, com severas consequências. Paulo escreve: "Se alguém desobedecer ao que dizemos nesta carta, marquem-no e não se associem a ele, para que se sinta envergonhado; contudo, não o considerem como inimigo, mas chamem a atenção dele como irmão" (2Ts 3.14,15).

O cristão que se recusa a submeter-se aos que têm autoridade sobre ele é como uma criança que fugiu de casa, que tentará "se virar" sozinha, mas sua sobrevivência estará seriamente ameaçada sem a supervisão de um adulto. Quem se priva da direção espiritual de um orientador rejeita a provisão de Deus para seu alimento e enfrenta um futuro incerto. A confiança é a força do discípulo (Is 30.15).

Quando comecei a trabalhar em Watts, eu não estava em submissão a pessoa alguma. Logo reconheci que, sem estar sob a autoridade de homens espirituais, eu não teria autoridade. Isso era ruim para mim, mas era pior ainda para aqueles a quem eu ministrava.

Orei prontamente por um grupo de homens aos quais eu pudesse me submeter, porque "Sem diretrizes a nação cai; o que a salva é ter muitos conselheiros" (Pv 11.14). Eu sabia que Deus falara aos líderes da igreja primitiva como a um grupo (At 15.28).

A primeira epístola de João 4.1 ordena "provar os espíritos" antes de nos submetermos. É uma ordem para que busquemos a liderança de pessoas piedosas. Reconheci que esses homens teriam de cumprir certos requisitos bíblicos para receber a autoridade de Deus. Tanto individualmente como em grupo, tinham de ser submissos à Palavra de Deus como autoridade absoluta (1Tm 6.3-5; 2Tm 3.16,17). Precisavam também ter provado sua consagração cristã (2Co 8.22) servindo aos outros (Mt 20.26,27) e sendo fiéis em todas as coisas, como na mordomia de seu dinheiro (Lc 16.10-12). Em suma, tinham de viver sua fé, oferecendo um modelo que eu pudesse imitar (3Jo 11).

O Senhor providenciou fielmente tais homens. Eles se tornaram a junta executiva da Impacto Mundial, nossa missão. Uma vez verificada sua consagração a Deus, eu sabia que poderia confiar na liderança de Deus por meio deles para me dirigir ativamente e me admoestar.

Quando esses homens exerceram autoridade sobre mim e sobre o nosso ministério, confirmei verbalmente minha submissão a eles. Os cristãos devem submeter-se a seus líderes voluntariamente. Não existe precedente bíblico para que os líderes exerçam sua autoridade sobre alguém que não se submete. É por isso que o Novo Testamento fala primeiramente àquele que tem a responsabilidade de submeter-se e, então, à pessoa que exercerá autoridade: primeiro às mulheres, depois aos maridos; primeiro aos filhos, depois aos pais; primeiro ao servo, depois ao senhor. Consequentemente, meu relacionamento com a Missão partia da minha submissão a ela.

Minha submissão não fecha as portas à responsabilidade pessoal de examinar as Escrituras e testar a liderança (At 17.11). Faço isso, porém, com espírito submisso, confiando que tal estudo apenas complementará a instrução recebida. Se divergirmos numa questão, confio em que esses líderes espirituais estarão abertos a uma conversa e apreciarão qualquer correção ou esclarecimento. Meu espírito não é crítico, rebelde nem desconfiado. É submisso. Eu os amo e os honro. E sei que esse amor é recíproco.

A submissão a homens espirituais tem-me aliviado de enorme pressão. Baseado na direção e sabedoria deles, posso agora exercer autoridade confiantemente sobre os que escolhem submeter-se a mim. Por sua vez, muitos de nossa equipe, a quem foram confiados cargos de liderança, exercem autoridade sobre outros membros da equipe e cristãos no gueto. A autoridade delegada por Cristo de fato passou a nós.

O exercício desse princípio tem dado direção à nossa equipe em certas situações tensas. Frequentemente, pessoas pediam-nos dinheiro para comprar comida. Sabíamos que o dinheiro que dávamos muitas vezes acabava sendo utilizado na compra de bebida alcoólica ou drogas. Assim, resolvemos oferecer uma boa refeição para os que diziam estar com fome.

Isso parecia bom na teoria, mas não dava muito certo nas ruas. Quando oferecíamos comida a alguém, a pessoa respondia: "Prefiro dinheiro. Você não confia em mim?". Não importava a compaixão com que explicávamos, o resultado era discussão e ressentimentos.

Finalmente, orientei nossa equipe a dizer simplesmente: "Meu patrão diz que não podemos dar dinheiro, mas podemos dar comida". Surpreendentemente, isso resolveu nosso dilema. Os que pediam dinheiro respeitaram a autoridade à qual nossa equipe se submetia, mesmo que não soubessem quem era essa autoridade. Podiam discutir com a pessoa, mas não com a autoridade que ela representava. O discípulo submete-se alegremente a Cristo e às autoridades por ele delegadas.

DISCÍPULOS EXERCEM SUA AUTORIDADE SERVINDO

Em vez de usar a força bruta ou exigências autoritárias, o discípulo exerce sua autoridade servindo. Jesus disse a seus discípulos:

> Vocês sabem que aqueles que são considerados governantes das nações as dominam, e as pessoas importantes exercem poder sobre elas. Não será assim entre vocês. Ao contrário, quem quiser tornar-se importante entre vocês deverá ser servo; e quem quiser ser o primeiro deverá ser escravo de todos. Pois nem mesmo o Filho do homem veio para ser servido, mas para servir e dar a sua vida em resgate por muitos (Mc 10.42-45).

A mensagem de Cristo era clara: o amor espiritual serve, e não deseja ser servido. O serviço é a forma mais alta de liderança. O cristão maduro escolhe servir, em vez de ser senhor em toda situação.

Existem poucas pessoas que dão uma primeira impressão tão marcante que me deixam abismado. Um dia, percebi que tais pessoas especiais e singulares têm uma coisa em comum: servem.

Walter é uma dessas pessoas singulares. A primeira vez em que nos encontramos, ele se ofereceu para alterar sua agenda a fim de me levar aos meus compromissos. Ele estava sinceramente interessado no meu bem-estar. Eu nem imaginava que ele era um dos maiores executivos do país.

Walter nunca precisa dizer, mas eu sei que ele fará qualquer coisa dentro de suas possibilidades para me servir. Se eu me encontrasse numa situação de emergência, não hesitaria em chamá-lo. Sua vida é caracterizada pelo serviço.

Jesus disse: "O meu mandamento é este: Amem-se uns aos outros como eu os amei" (Jo 15.12). E o amor de Cristo a seus discípulos foi serviço altruísta. Ele assumiu, por vontade própria, a forma de escravo (Fp 2.7). Ele lavou-lhes os pés e voluntariamente tomou o lugar que era deles na cruz. Jesus não estava reclamando ou esperneando quando o levaram para crucificá-lo. Ele teve compaixão e perdoou; serviu sem reservas e depois anunciou: "Eu lhes dei o exemplo, para que vocês façam como lhes fiz" (Jo 13.15).

Os apóstolos, cuja autoridade na Igreja estava acima de dúvida, eram servos-líderes. Eles não impunham ordens sobre seus filhos espirituais (2Co 1.24). Exerciam autoridade de modo humilde e amoroso.

Ao contrário dos não-cristãos que servem por temor, orgulho, lealdade ou desejo de dinheiro, a motivação do discípulo é o amor. Ele coloca o bem-estar de seu irmão acima do seu próprio. A privacidade é um luxo raro. Não é incomum ser incomodado. Ele ministra sem ser notado e, no ânimo ou na tristeza do momento, frequentemente sai sem receber agradecimento. Palavra ou atos altivos estão fora de ordem.

Lembro-me de haver ministrado um curso numa sala desprovida de suporte para a lousa. Al Ewert, nosso diretor em Wichita, estava comigo. Silenciosamente, quase sem ser notado, Al foi para trás da lousa e ficou segurando-a com o corpo. Por três horas, dei aulas sobre discipulado — morte de si mesmo, submissão, obediência, amor e serviço. Terminada a aula, olhei para Al e fiquei profundamente emocionado. Eu havia falado a respeito de um caráter semelhante ao de Cristo, enquanto Al tinha vivido esse caráter. "[...] quem quiser tornar-se importante entre vocês deverá ser servo" (Mt 20.26). Os discípulos exercem sua autoridade por meio do serviço.

As relações de submissão e autoridade que Deus ordenou servem de sistema nervoso central para a Igreja de Cristo. Só podemos funcionar corretamente no corpo de Cristo se entendermos e vivermos por essas quatro verdades bíblicas que formam o fundamento para a submissão em alegria.

Lista de verificação do discípulo — *Submissão*

☐ Tenho uma atitude interior de confiança no meu Deus soberano, amoroso e onisciente.

☐ A autoridade de Cristo é suprema em minha vida.

☐ Quando a autoridade delegada por Deus toca a minha vida, submeto-me a ela assim como me submeteria a Cristo.

☐ Posso exercer autoridade porque me submeto à autoridade.

☐ Exerço minha autoridade servindo.

6
Amar uns aos outros

A terceira característica que distingue o discípulo é que ele ama os demais cristãos. "Com isso todos saberão que vocês são meus discípulos, se vocês se amarem uns aos outros" (Jo 13.35). O amor de uns aos outros é a marca do discipulado.

Há algum tempo, ouvi um barulho ensurdecedor no saguão do hotel onde estava hospedado. Não imaginava o que estivesse acontecendo até que vi um turbante vermelho, estilo árabe, bastante incomum.

Notei então que quase todos os que se encontravam no saguão usavam turbantes na cabeça. Era uma reunião de *shriners*, organização secreta que existe nos Estados Unidos. Ninguém precisava me dizer o que era. Os turbantes tornavam-nos fáceis de reconhecer.

Muitos grupos identificam-se por insígnias ou roupas comuns ao grupo; os policiais usam uniformes, rotarianos usam distintivos, jogadores de basquete usam camisetas e calções. Mas os discípulos não precisam usar distintivos com lemas, colarinhos clericais ou togas eclesiásticas. Podemos usar uma diversidade de roupas e ser facilmente identificados como um gigante numa colônia de anões. Temos a identificação mais marcante de todas.

É desnecessário colocar letreiro na cara dos membros de nossa equipe nos guetos, dizendo "Casa da Impacto Mundial" ou "Casa de Deus". Nosso amor mútuo tem de ser tão óbvio que os vizinhos não possam duvidar de nossa dedicação a Cristo.

Quando algumas mulheres de nossa equipe foram à quitanda da esquina pela primeira vez, o proprietário disse: "Ah, vocês são daquela casa cristã, não são? Eu sempre reconheço as moças de lá pelo grande sorriso e pelo amor que mostram".

Um mês após abrirmos uma casa para a equipe de Fresno, alguém que tinha um encontro comigo perdeu nosso endereço e o nome da nossa organização. Ele parou na vizinhança e perguntou a uma mulher se sabia onde morava um grupo de cristãos. Ela replicou: "É claro, todos nós sabemos quem eles são. Moram no próximo quarteirão, na esquina". O encontro desse homem com nossa vizinha falou mais alto do que qualquer coisa que eu pudesse ter dito.

Como o mundo sabe que somos discípulos por amor uns aos outros, temos de nos certificar de que nossa identidade seja clara. Para que tenhamos amor forte e resistente aos demais cristãos, temos de entender e experimentar o perdão e a comunhão.

PERDÃO

O discípulo não pode amar a Deus ou a si mesmo, e muito menos aos outros, a não ser que aceite o completo perdão de Deus e com base nisso perdoe a si mesmo, aos outros e aceite o perdão dos outros.

Aceite o perdão de Deus

Você precisa aceitar o completo perdão de Deus para o seu passado, presente e futuro. Não existe pecado que não possa ser perdoado com a confissão e com o genuíno arrependimento. Deus promete purificar-nos de toda injustiça (1Jo 1.9) e esquecer para sempre nossos pecados (Is 43.25). O perdão de Deus é perfeito. Deus é perfeito.

Há sete anos, Pat Williams assistiu à sua primeira reunião do grupo de estudo bíblico da Impacto Mundial em um terreno baldio em Watts. Quando ela se entregou a Jesus, sua vida começou a mudar. Ela estudava a Bíblia com fidelidade, orava e adorava a Deus. Depois de formar-se, entrou para nossa equipe e começou a trabalhar na própria comunidade em que ela cresceu. Pat parecia ser um exemplo de ouro do poder redentor de Deus.

Entretanto, por baixo do seu sorriso contagiante, Pat escondia uma infância marcada por opressão e abuso físico. Seu pai havia abandonado a família quando sua mãe estava grávida de três meses de Pat. Ela e seus cinco irmãos tinham três pais diferentes. Viviam na pobreza, às vezes, sem ter o que comer.

Contudo, o que mais feria a memória de Pat era o abuso sexual que tinha sofrido. Seu próprio tio começou a estuprá-la quando era ainda criança. Ela recorda: "Ele me dava doces e me pegava sempre que queria. Como ele fazia parte da família, não havia nada que eu pudesse fazer. Ele ameaçava me matar se eu contasse".

Pat cresceu com ódio de todos os homens e odiando a si mesma por aquilo que seu tio fizera com ela. Mesmo depois de ser missionária de nossa equipe, detestava ter de estar com homens. Sua vida cristã estava enfraquecida pela culpa, pelo ódio e por um espírito ferido. Como tantos cristãos, Pat havia aceitado o dom de Deus da salvação, mas não tinha aceitado o seu completo perdão.

Perdoe a si mesmo baseado no perdão que Deus lhe concedeu

Você demonstra que aceitou o completo perdão de Deus quando perdoa a si mesmo. Ao entender que Deus o ama, seu senso de dignidade espiritual é restaurado. Isso o libera para se perdoar. Só então pode amar e aceitar quem você é. Paulo, que foi tanto o "maior dos pecadores" como o grande apóstolo de Cristo, declara: "[...] sou o que sou, e sua graça para comigo não foi inútil [...]" (1Co 15.10). A aprovação divina é o tecido do amor-próprio.

Paulo demonstra a qualidade do amor-próprio que Deus espera dos seus discípulos: "[...] ninguém jamais odiou o seu próprio corpo, antes o alimenta e dele cuida, como também Cristo faz com a igreja" (Ef 5.29). Cristo deseja que você tenha uma opinião saudável e positiva a respeito de si mesmo. A repetição do ensino bíblico "amar o próximo como a si mesmo" ressalta a importância que Deus dá ao amor-próprio. Se você não ama a si mesmo, invariavelmente isso refletirá em falta de amor ao próximo.

A falha em perdoar-se quando Deus lhe perdoou relega o perdão de Deus a uma ideia abstrata. Significa que você não acredita que o perdão divino dos seus pecados tenha sido perfeito. Você questiona a soberania de Deus ao negar a eficácia da obra salvadora e restauradora de Cristo. Seu orgulho diz que seus pecados são grandes demais para Deus perdoar e que você está além da sua redenção.

Isso faz que sua vida cristã seja um fracasso total. Rouba-lhe a paz, a segurança e o amor que Deus pretende que todos os seus filhos desfrutem. A ausência dessas experiências é destrutiva, e não redentora. Nenhum discípulo morto para si mesmo e que tenha Cristo vivendo nele poderia pensar em fazer menos do que perdoar a si mesmo, porque Deus lhe perdoou.

Pat Williams reconhecia que esse ódio de si mesma não era próprio do discípulo. Embora ela tivesse sido vítima de abuso sexual, sentia culpa e imundícia. Como Deus poderia lhe perdoar? Como poderia perdoar a si mesma?

Quando Pat se mudou para a casa da nossa equipe feminina, experimentou a segurança do amor incondicional de Deus. Por meio da aceitação no corpo, ela reconheceu que Deus a amava, não importava o que tivesse feito ou lhe tivesse acontecido. Por causa do sacrifício de Cristo, Deus apagara seus pecados e pagara pelo abuso cometido. Ele a tratou como se isso jamais tivesse existido. Baseada nisso, ela pôde amar a si mesma.

Pat explica melhor: "Descobri que quando Jesus morreu, ele pagou por toda a dor, culpa e amargura da minha vida. Ele cuidou disso. Quando eu me preocupava com o passado e não aceitava o perfeito perdão de Deus, estava questionando seu poder de me limpar completamente e de tornar-me uma nova criatura. Mas agora sei que ele me perdoou completamente e, assim, posso me aceitar e perdoar a mim mesma".

Perdoe aos outros

Uma vez perdoado, você tem de perdoar aos outros. Jesus ensinou: "Pois se perdoarem as ofensas uns dos outros, o Pai celestial também lhes perdoará. Mas se não perdoarem uns aos outros, o Pai celestial não lhes perdoará as ofensas" (Mt 6.14,15). A oração de Cristo reflete esta união vital: "Perdoa-nos os nossos pecados, pois também perdoamos a todos os que nos devem [...]" (Lc 11.4). Você perdoa como gratidão a Deus pelo perdão das suas transgressões, e não para merecer o perdão. O perdão aos outros demonstra que você já foi perdoado.

Não se pode receber o perdão de Deus sem dá-lo aos outros. Quando nossos filhos eram bebês, o médico nos disse que poderia vaciná-los contra todas as doenças infantis, exceto catapora. Se eles entrassem em contato com uma criança com catapora, certamente a contrairiam. O perdão é como catapora: se você tiver, passará aos outros.

Perdoar aos outros é marca da fé cristã. Jesus nos perdoou, pelos nossos pecados ele foi crucificado, enquanto pendia na cruz (Lc 23.34). Estêvão perdoou aos que o apedrejavam enquanto as pedras lhe esmagavam o corpo (At 7.60). Paulo resume a posição cristã: "Sejam bondosos e compassivos uns para com os outros, perdoando-se mutuamente, assim como Deus os perdoou em Cristo" (Ef 4.32). O seu perdão aos outros tem de ser de todo o coração, moldado segundo o perdão com que Deus lhe perdoou.

Perdoar outra pessoa é milagre de Deus. É obra dele, e não sua. Mesmo com um coração disposto, a dor por vezes é tão aguda que você simplesmente não acredita ser possível perdoar e esquecer. Mas, pelo perdão que Deus lhe concedeu e pela graça que ele provê, você pode perdoar.

Se você foi magoado por alguém, mas reprime a dor, em vez de desfazer-se dela mediante o perdão, a culpa, a amargura e a ansiedade permanecem e agravam a discórdia. Isso ameaça seriamente sua saúde emocional, abafa a paz de Deus e a alegria da vida cristã. As emoções negativas reprimidas corroem o seu interior como um câncer.

Qualquer falha em perdoar aos outros com alegria demonstra ignorância da graciosa provisão divina para você. Você se torna como o servo ingrato de Mateus 18.21-35, desfrutando prontamente da liberdade comprada pela misericórdia divina, mas cruelmente negando graça semelhante aos outros.

Era compreensível que Pat Williams nutrisse ódio por seu tio e ressentimentos por sua mãe. Como eles podiam ter permitido que uma criança experimentasse tamanha crueldade? De algum modo, o ensino de Cristo "Perdoem, e serão perdoados" (Lc 6.37) não parecia fazer sentido.

Quando, porém, Pat aceitou plenamente o perdão de Deus, ele substituiu o coração quebrado e a culpa traiçoeira do seu passado por uma profunda segurança no seu amor. Isso produziu um amor-próprio muito agradável. Depois de experimentar tal perdão perfeito, como Pat poderia deixar de perdoar a seu tio e a sua mãe? Perdoar aos outros é seguir o exemplo de Cristo.

Aceite o perdão dos outros

Colossenses 3.13 insiste conosco para que perdoemos porque Cristo nos perdoa. Perdoar uns aos outros exige que aceitemos o perdão e também que o ofereçamos. Aceitar o perdão geralmente segue o nosso pedido sincero de perdão. Às vezes, porém, as pessoas propõem-se a nos perdoar por males que pensávamos tão extremos que nem ousamos pedir seu perdão. Talvez achemos difícil acreditar que sinceramente queiram nos perdoar.

Quando, porém, alguém lhe perdoa, você tem de aceitá-lo rapidamente. Falhar em fazer isso é pecado. Indica que você acredita que sua ofensa contra essa pessoa foi tão grave que o poder de Deus não é suficiente para capacitá-la ao perdão. Nega a expiação perfeita de Cristo na vida dessa pessoa. Quando não aceitamos o perdão de uma pessoa, nós a ofendemos e prejudicamos nosso relacionamento com ela. Isso prolonga a dor e a divisão entre nós. Além disso, pode fazer que ela no futuro tropece, deixando de perdoar a outras pessoas, pois nossa rejeição pode levá-la a crer que seu perdão não seria aceito de qualquer modo.

Algum dia pode ser que o tio de Pat aceite o perdão de Deus e aprenda que Pat já lhe perdoou. É possível, porém, que ele fique tão abismado pela terrível natureza de seus pecados contra Pat que se sinta incapaz de aceitar o perdão dela. Mas, em obediência a Deus, ele terá de fazê-lo.

Certamente o tio de Pat sabe do ressentimento e da amargura que ela nutria contra ele. Se ele aceitasse o perdão de Pat e depois perdoasse suas emoções negativas, Deus iria querer que Pat aceitasse com alegria o perdão dele.

Embora a aceitação do perdão seja importante, sua cura não depende de outra pessoa dar ou aceitar perdão. É resultado da perfeita provisão de Deus por meio da obra expiatória de Cristo.

Aceitar e conceder perdão quebram os muros que obstruem os relacionamentos. Quando não há barreiras entre as pessoas, o amor de uns aos outros é a alternativa que resta.

COMUNIDADE

Não se pode experimentar o verdadeiro cristianismo em isolamento. O próprio Deus é uma comunidade de três pessoas, constantemente interligadas de modo íntimo. Como fomos criados à imagem de Deus, quanto mais intimamente nos conformarmos à natureza divina, mais abundante será a nossa vida. Só poderemos realizar a plenitude de nossa humanidade em relacionamentos saudáveis.

Jesus reconheceu a necessidade dos relacionamentos. O ato inicial de seu ministério foi chamar 12 homens a "estar com ele" (Mc 3.14). Ele formou uma comunidade. Foi neste contexto que ele ensinou seus discípulos a manter relacionamentos duradouros e íntimos com Deus e com o homem: amar ao Senhor de todo o coração — e ao próximo como a si mesmo.

A comunidade é o seu principal elo com Deus

Cristo é cabeça do corpo (Ef 1.22,23), e Deus é o cabeça de Cristo (1Co 11.3). Se você não faz parte de um corpo cristão, está fora do propósito corporal e criativo de Deus para o seu povo e perde seu mais importante elo com Deus.

O Espírito Santo usa repetidamente o exemplo do funcionamento do corpo humano como auxílio visual para explicar como os cristãos devem relacionar-se com Cristo e uns com os outros. Nossa compreensão da comunidade cristã é ressaltada quando fazemos paralelos entre o corpo de Cristo, ou seja, a igreja, e nosso corpo físico.

Nunca houve caso de um pé estar ligado diretamente à cabeça sem um corpo. É uma impossibilidade física. Semelhantemente, nenhum cristão pode ter ligação exclusiva com Deus. "O corpo não é feito de um só membro, mas de muitos" (1Co 12.14). O cristão relaciona-se com a cabeça por meio do corpo.

Nunca me esquecerei de quando vi um granjeiro cortar a cabeça de um frango. Quando a cabeça caiu no chão, o resto do frango girou em círculos loucamente. A poeira voava. Penas se espalharam. Então, de repente, o corpo entrou em colapso.

O cristão separado da cabeça pode parecer estar vivo por algum tempo. Mas logo entrará em colapso, porque existe apenas um modo de obter alimento e direção da cabeça — é como parte do corpo (v. Cl 2.19). O cristão sem a comunidade é como um frango cuja cabeça foi cortada. A comunidade cristã é a linha vital que o liga a Deus.

A comunidade é o seu elo com outros cristãos

Como o discípulo pode obedecer à ordem de Cristo de "amar uns aos outros" sem que outros possam receber seu amor? Nenhum cristão pode ter saúde sem outros cristãos. É por isso que todo cristão imediatamente faz parte do corpo quando se converte: "[...] vocês são o corpo de Cristo, e cada um de vocês, individualmente, é membro desse corpo"[...] "Pois em um só corpo *todos* nós fomos batizados em um único Espírito [...]" (1Co 12.27, 13, grifo do autor).

Nesse sentido, todo cristão é membro da comunidade redimida de Cristo. A Bíblia nunca fala da possibilidade de posição sem função. Tentar viver a vida cristã sem um relacionamento prático com o corpo é, no máximo, uma especulação arriscada. Consequentemente, é prioridade para todo discípulo pertencer a um corpo cristão saudável, que funciona.

Um corpo cristão *saudável* é caracterizado pela união. É composto de discípulos que morreram para si mesmos e estão em completa submissão a Cristo. Eles descansam no conhecimento de que "Deus dispôs cada um dos membros no corpo, segundo a sua vontade" (1Co 12.18).

O livro de Atos documenta a unidade na Igreja cristã como ponto central. Os cristãos primitivos eram uma família intimamente ligada. Quando Pedro pregou no dia de Pentecoste, os outros apóstolos ficaram em pé com ele (At 2.14). Os discípulos do século I aprendiam, comiam, comungavam e oravam juntos (At 2.42). Eles "tinham todas as coisas em comum" (At 2.44).

Nenhuma parte de um corpo saudável pode agir independentemente. Minha corrida diária seria grandemente impedida se as minhas pernas se recusassem a cooperar uma com a outra.

Se minha perna direita insistisse em ir para a frente enquanto a esquerda fosse para trás, eu cairia de cara no chão.

As palavras e os atos de cada membro do corpo de Cristo devem promover a união entre os irmãos. A união é desenvolvida pela comunhão: comunicação regular e honesta e o dar e receber livremente o perdão. O discípulo entrega-se ao sacrifício de seu próprio bem em favor do bem do corpo, porque sabe que essa união dará glória a Deus.

A união é o propósito e o fruto da comunidade. Na Impacto Mundial, nós nos preparamos em grupos, damos aulas em equipe, trabalhamos, vivemos e descansamos juntos. Isso fortalece nossa união e aumenta nosso crescimento e ministério cristão. Nossos alunos e vizinhos aprendem muito mais a respeito de amor cristão enquanto observam como nos relacionamos uns com os outros do que ouvindo o que nós dizemos. O mundo entende o amor de Deus pela nossa união (Jo 17.21-23).

A maior parte da desunião no corpo é baseada no orgulho. Começamos a exigir *nossos* direitos e guardar *nosso* tempo, esquecendo-nos de que trocamos isso pela paz com Deus quando nos encontramos com Cristo na cruz. Procuramos receber o louvor dos homens, em vez de dar glória a Deus por meio de tudo o que fazemos. Jesus condenou os fariseus porque "preferiam a aprovação dos homens do que a aprovação de Deus" (Jo 12.43). O orgulho é a negação da morte de si mesmo e não tem lugar entre o povo de Deus.

Uma forma perigosa de orgulho é a inveja. A inveja invalida o corpo, que deve contar com a cooperação entre todos os seus membros para servir eficazmente a Deus. Tiago 3.16 diz: "Pois onde há inveja e ambição egoísta, aí há confusão e toda espécie de males."

Eu entendo como a inveja pode entrar em um corpo cristão. Até este livro poderia causar divisão. Embora eu seja o autor, tenho recebido muitos benefícios das sugestões de nossos diretores e de alguns outros líderes. Então, cinco da nossa equipe de Los Angeles me ajudaram a redigi-lo. Mais quatro pessoas trabalharam altruisticamente na digitação dos manuscritos.

Qualquer desses colaboradores poderia dizer: "Veja só como eu trabalhei naquilo, e ninguém jamais saberá. É o Keith que fica com todas as honras". Ciúmes. Contudo, porque esses discípulos sabem que Deus, e não Keith, é quem recebe toda a glória, o ciúme é afastado. Deus utiliza pessoas de espírito quebrantado, coração humilde, desinteressado em promoção pessoal, que se gloriam somente na cruz de Cristo. "Como é bom e agradável quando os irmãos convivem em união!" (Sl 133.1).

Um corpo cristão que funciona procura estimular a maturidade de todos os seus membros. Como o corpo não é mais forte do que sua parte mais fraca, sua saúde depende do bem-estar de cada membro. Romanos 12.5 diz: "assim também em Cristo nós, que somos muitos, formamos um corpo, e cada membro está ligado a todos os outros". O relacionamento entre os membros do corpo é tão íntimo que aquilo que afeta a um afeta a todos.

Certa vez, eu estava velejando com um amigo num pequeno barco. Quando voltamos, ele pediu que eu impedisse o barco de bater no cais amarrando-o a uma cunha de metal que havia no desembarcadouro. Descalço e querendo agradar, pulei do barco, com a corda na mão. Infelizmente, meu dedão do pé tentou levantar a cunha sólida, mas ela nem se mexeu. Meu dedão latejava de dor. Deixei cair a corda, e o barco chocou-se contra o cais.

Imediatamente, todo órgão, membro e toda faculdade do meu corpo concentraram atenção total à situação do dedão. Meu estômago já não estava preocupado com o almoço. Minha boca não repreendeu o dedão por ser tão desajeitado. Minha mão já não ansiava por segurar a corda. Minha cabeça não pensava nos danos causados ao barco. Todas as partes do meu corpo não sentiam vergonha em ocupar-se com o bem-estar do dedão. Quando o dedão doía, todo o corpo doía.

Assim é com o corpo de Cristo. Estamos em comunhão tão íntima que, quando um membro se machuca, todos nós sofremos; quando uma parte se alegra, há regozijo em todas as partes (Rm 12.15).

O cristão que sofre não pode esconder suas lutas da comunidade. Seus fardos, suas dores e suas preocupações são imediatamente comunicados por meio do corpo à cabeça, que coordena uma resposta apropriada. O corpo promove a saúde canalizando toda fraqueza e dor à sua própria corrente sanguínea para purificação por meio do perdão e da cura. Só a um corpo doentio falta essa intimidade.

Os membros de um corpo maduro ultrapassaram a ideia incompleta de "ir à igreja" e entendem que eles *são* a Igreja. Em Cristo, os discípulos estão "sendo edificados juntos, para se tornarem morada de Deus por seu Espírito" (Ef 2.22). Não mais restrita a tijolos e argamassa, a igreja funciona com força total no mundo dos negócios, na escola e na vizinhança. A adoração já não se confina ao culto de domingo. Todo ato, toda palavra e todo pensamento é oferecido em adoração a Deus.

Os benefícios da comunidade para o discípulo são tão grandes que é quase impossível sobreviver sem eles. Em que outro lugar um discípulo pode estar submisso a homens espirituais que o conheçam bem? Em que outro lugar pode ser nutrido e receber suporte para seu crescimento e sua maturidade cristã? Em que outro lugar pode se tornar semelhante a Cristo pela observação da vida de outros? Pode experimentar comunhão doce e pura? Pode estar tão seguro no amor do seu próximo de forma que é liberado para amar aos outros como Deus o ama? Pode pertencer a um coro que canta em uma só voz um hino contínuo de louvor e adoração ao Criador? Em que outro lugar seu testemunho para o mundo pode brilhar tanto assim? Em que outro lugar ele pode *ser* um discípulo?

Lista de verificação do discípulo — *Amar uns aos outros*

☐ Meu amor a outros cristãos é visível. Aceitei o perdão de Cristo por meu passado, presente e futuro.

☐ Perdoei a mim mesmo baseado no perdão de Deus por mim.

☐ Perdoo prontamente aos outros.

☐ Aceito o perdão dos outros.

☐ Participo de uma comunidade cristã saudável.

7
Oração

A oração é a quarta característica do discípulo. Pela oração, o cristão encontra-se com o Deus vivo. "[...] em Jesus, nosso Senhor [...] por intermédio de quem temos livre acesso a Deus em confiança, pela fé nele" (Ef 3.11,12). O caráter do cristão é formado pela sua comunicação com Deus.

A comunicação é o segredo de todo relacionamento saudável. Não demorou muito para minha esposa e eu percebermos que nossa união melhoraria ou pioraria dependendo da qualidade de nossa comunicação; quanto mais profundamente nos comunicássemos um com o outro, mais rapidamente nos tornaríamos um. Isso não é de surpreender, pois meu relacionamento com Katie está moldado segundo o relacionamento de Cristo comigo (Ef 5.23-25). A boa comunicação transforma conhecidos em amigos e superficialidade em intimidade.

A qualidade de minha comunicação com Katie é reforçada se observo quatro diretrizes. Esses mesmos princípios aplicam-se à vida de oração do cristão.

PRIMEIRO, O LOUVOR

Nada facilita mais uma relação saudável do que um elogio sincero. Um comentário positivo e edificante é um gesto de respeito e admiração.

Quando chego a minha casa, as primeiras palavras determinam o ambiente para a noite inteira. Uma vez estabelecida a direção, é difícil mudar. Se, ao contrário, digo à minha mulher: "Você nunca se lembra de trancar o portão? Não sabe como é perigoso com os meninos no quintal?", já se pode imaginar as consequências. Que diferença faz quando digo: "Querida, você está maravilhosa!".

Katie sabe que minhas palavras são uma extensão do meu coração. Não existe um elixir melhor para se manter o entusiasmo do namoro num casamento do que o elogio. Quando tenho a sabedoria de usar de uma palavra elogiosa em primeiro lugar, nossa comunicação é saudável e edificante.

Davi reconheceu isso ao aconselhar quanto ao modo de aproximar-nos de Deus: "Entrem por suas portas com ações de graças, e em seus átrios, com louvor; deem-lhe graças e bendigam o seu nome" (Sl 100.4).

A oração é, antes de tudo, uma avenida pela qual o discípulo adora e honra ao seu Deus. Aguarde com alegria a oportunidade de estar na presença do Rei dos reis. Permita que a gratidão flua de seus lábios, e que todo o seu ser expresse admiração e temor diante do Todo-poderoso. Você tem uma boa razão para declarar o seu amor a Deus: "Pois o Senhor é bom e o seu amor leal é eterno; a sua fidelidade permanece por todas as gerações" (Sl 100.5).

SEJA UM OUVINTE ATIVO

Certa vez, no início de nosso casamento, Katie contava-me notícias alarmantes vindas de Washington. No meio da sua descrição, eu a interrompi e terminei de contar-lhe a história. Nada a frustrou mais do que meu gesto. Embora ela nunca o dissesse diretamente, percebi de imediato que ou o meu hábito ou o marido teria de sair. Deus usou minha esposa paciente para me ensinar uma lição valiosa: comunicar é muito mais do que conversar. É ouvir atentamente, dando atenção exclusiva.

Deixar de escutar é um insulto. Quando Katie me fala de conversas com amigas, lugares aonde foi e coisas que ela aprendeu, eu a amo o bastante para tomar parte em sua vida concentrando-me naquilo que ela diz.

Eu me sentiria lesado se, depois de derramar o coração diante de Deus, não houvesse resposta. Mas o Senhor promete responder (Sl 91.15). Deus deseja a perfeita comunicação com os seus filhos. Ele fala comigo por meio da sua Palavra, trazendo-me à memória versículos, enchendo-me a mente da sua beleza, coragem e vontade. Preciso apenas atender ao seu conselho: "Parem de lutar! Saibam que eu sou Deus" (Sl 46.10).

Descobri que com Deus, assim como com Katie, nossa comunicação mais significativa ocorre quando estamos a sós. Ouço melhor quando não há distrações — rádio, telefone, outras pessoas. Estou certo de que era isso que Jesus tinha em mente quando disse a seus discípulos: "[...] Venham comigo para um lugar deserto e descansem um pouco" (Mc 6.31).

SEJA CONSTANTE

É fácil demais eu chegar a minha casa depois de um longo dia de trabalho, dizer algumas palavras frequentemente repetidas, jogar-me numa poltrona e ler a correspondência — quase ignorando minha querida esposa. Exige-se uma disciplina verdadeira ir além dos lugares-comuns e falar abertamente de novas ideias, planos empolgantes ou eventos incomuns.

Mais difícil ainda é ser honesto quanto a mágoas, preocupações e problemas com os quais estou lutando.

Às vezes, sinto que, após ter sido bombardeado por pessoas, problemas e necessidades o dia todo, é pura agonia reviver esses incidentes ao compartilhá-los. Tolice! Katie é o meu maior apoio. Ela quer ajudar-me a carregar os fardos e compartir as alegrias. A comunicação constante capacita-nos a pensar igual, agir igual e ter confiança um no outro. Partilhar com Katie e buscar seu conselho afirmam que eu valorizo quem ela é. Se deixo de me comunicar, eu a excluo daquilo que sou, e nosso pacto de casamento fica reduzido a um pedaço de papel.

É por demais frequente que a tentação à preguiça entre furtivamente em minha vida de oração. Posso racionalizar: "Deus sabe de tudo. Estou cansado demais; não tenho tempo. Amanhã falarei com ele". Como acontece em relação a Katie, é fácil deixar para depois. Ninguém fica sabendo. Ninguém me culpa. Mas é um erro pensar que a comunicação constante com Deus seja uma opção. Se minha comunicação for esporádica, nosso relacionamento deteriora. Primeiro, minha mulher e eu ficamos sabendo. Depois, outras pessoas. Finalmente, todo mundo.

A constância na vida de oração do discípulo é como a resistência na vida de um corredor fundista. Não há atalhos que encurtem o caminho. É atingida mediante um período extenso de prática diária. Mas, se não usar essa resistência, você a perde. Quando você para por algum tempo, não pode recomeçar no ponto em que parou.

A intimidade com Deus exige comunicação regular. Se você não tem conversado com ele há muito tempo e surge uma crise, sente-se desajeitado e inseguro na sua presença. Sem comunicação constante, o cristão enfrenta a vida em terreno muito incerto. A comunicação constante com Deus faz que o coração, a motivação, os pensamentos e até mesmo os instintos do cristão coincidam com os de Deus. É por isso que 1 Tessalonicenses 5.17 nos instrui: "Orai continuamente". Sua fidelidade faz que você seja bem-vindo à presença de Deus: "Assim, aproximemo-nos do trono da graça com toda a confiança, a fim de recebermos misericórdia e encontrarmos graça que nos ajude no momento da necessidade" (Hb 4.16).

SEJA TOTALMENTE SINCERO

No início de nosso relacionamento, Katie e eu assumimos um compromisso de sermos totalmente sinceros um com o outro. Sabíamos que nosso casamento se fortaleceria se as únicas surpresas nele fossem agradáveis. Um relacionamento baseado em meias-verdades ou distorções enganadoras é como uma casa de cartas: desmorona com a mínima pressão. Discutimos juntos as nossas finanças, fazendo orçamento daquilo que podemos gastar, concordando naquilo que não podemos comprar. Concordamos quanto aos nossos compromissos sociais e atividades de ministério antes de assumirmos compromissos.

Nunca há ocasião em que Katie não saiba onde eu me encontro. Deixo um itinerário detalhado quando viajo: número de voo, hora de chegada, hotéis, pessoas a contatar, compromissos de palestras e horas marcadas. Ela sempre pode se comunicar comigo. Telefono-lhe todos os dias quando estou fora.

Nosso compromisso de sinceridade constante não apenas nos capacita a compartilhar nossas necessidades, mágoas e dúvidas antes que se tornem em frustrações, como também evita a suspeita e a desconfiança.

Muitos cristãos têm a audácia de achar que podem enganar ao Deus que tudo sabe. Racionalizam os seus motivos, recusam confessar alguns de seus pecados ou não querem entregar certas áreas da vida. Davi foi assim. Ele tentou esconder seus pecados de assassinato e adultério até que finalmente Deus o confrontou por meio de Natã (2Sm 12). Mas Davi aprendeu a lição. Tornou-se completamente transparente com Deus: "Pois eu mesmo reconheço as minhas transgressões, e o meu pecado sempre me persegue" (Sl 51.3).

Deus não ouvirá suas orações se você tentar esconder seus pecados (Sl 66.18). Isaías 59.2 diz: "[...] as suas maldades separaram vocês do seu Deus; os seus pecados esconderam de vocês o rosto dele, e por isso ele não os ouvirá". Sem ouvir, não existe comunicação; sem comunicação, não existe relacionamento; sem relacionamento, não existe discipulado. A sinceridade absoluta com Deus é essencial para o discípulo.

A oração é o canal de comunicação mais íntimo que o discípulo pode ter com o seu Deus. A qualidade de sua comunicação determina a força de seu relacionamento. A oração é a prova e a prioridade inquestionável da pessoa que busca a Deus (Lc 18.1).

Lista de verificação do discípulo — *Oração*
Minha vida de oração é caracterizada por:
- ☐ Louvor a Deus em primeiro lugar.
- ☐ Ouvir ativamente.
- ☐ Constância.
- ☐ Sinceridade total.

Terceira parte

Como fazer discípulos?

8
Criado para reproduzir

Quando você morre para si mesmo, torna-se um discípulo. E os discípulos foram criados para reproduzir. Jesus não deixou dúvidas: "[...] Se alguém permanecer em mim e eu nele, esse *dará muito fruto* [...]" (Jo 15.5; grifos do autor). Não há chamado mais alto, comissão mais clara no Novo Testamento do que a ordem de reproduzir em outros o caráter que o Espírito de Deus criou em você. Cristo espera que cada cristão produza fruto espiritual.

Paulo revela o significado de ter filhos espirituais saudáveis: "Pois quem é a nossa esperança, alegria ou coroa em que nos gloriamos perante o Senhor Jesus na sua vinda? *Não são vocês?* De fato, vocês são a nossa glória e a nossa alegria" (1Ts 2.19,20; grifos do autor).

Paulo sabia que simplesmente conduzir uma pessoa a Cristo não bastava. Ele considerava vão o seu trabalho se seus filhos espirituais não se tornassem discípulos maduros. E discípulos maduros reproduzem sua vida em outros — produzindo frutos duradouros. Note que Paulo escrevia a cristãos que ele havia conduzido ao Senhor quando disse que eles se tornassem irrepreensíveis, "retendo firmemente a palavra da vida. Assim, no dia de Cristo eu me orgulharei de não ter corrido nem me esforçado inutilmente" (Fp 2.16). Ele repetiu esse pensamento em 1Ts 3.5: "[...] não suportando mais, enviei Timóteo para saber a respeito da fé que vocês têm, a fim de que o tentador não os seduzisse, tornando inútil o nosso esforço". Aos cristãos da Galácia, escreveu: "Temo que os meus esforços por vocês tenham sido inúteis" (Gl 4.11).

Como Paulo ousava sugerir que suas famosas viagens missionárias poderiam ser desperdiçadas quando o resultado foi um número tão grande de novos cristãos? Por que o apóstolo se preocupava com a possibilidade de seu rebanho tornar-se carnal ou mundano? A razão é clara. Paulo sabia que Jesus era radical: ou a pessoa morre para si mesma e reproduz, ou não é seguidora de Cristo. Jesus não deixou outra opção. Cristo mesmo disse aos discípulos: "[...] eu os escolhi para *irem e darem fruto*, fruto que permaneça, a fim de que o Pai lhes conceda o que pedirem em meu nome" (Jo 15.16; grifos do autor).

Somente os mal informados ou imaturos estão de tal modo preocupados com boas obras que não têm tempo para nutrir seus filhos espirituais para a reprodução. Nenhum cristão maduro se contenta com esterilidade espiritual.

Pare um momento para examinar sua vida. Existe alguma pessoa andando hoje com Deus e investindo em outros a plenitude de vida que tem em Cristo como resultado do ministério em que você tem servido? Um homem? Uma mulher? Se a resposta for não, você não tem dado fruto.

Talvez você frequente fielmente uma igreja, cante no coro, seja diácono, apoie um grupo jovem, sirva como presbítero ou seja até mesmo pastor. Talvez você testemunhe todos os dias ou ensine em grupos de estudo bíblico. São atividades recomendáveis, mas não chegam a cumprir o seu alto chamado de fazer discípulos.

A atividade não substitui a obediência; o viver ocupado não pode tomar o lugar da reprodução. Um discípulo que funciona é mais valioso para a edificação da igreja do que uma multidão de cristãos carnais. Resista à tentação de se envolver tanto no "trabalho cristão" que chegue a negligenciar as coisas do Reino. Reordene suas prioridades à luz da comissão de Cristo de fazer discípulos.

O seu compromisso de fazer discípulos é gerado pelo amor a Deus em resposta ao sacrifício altruísta de Cristo. A gratidão leva-o a dar glória a Deus produzindo muito fruto. A reprodução espiritual é o desejo e a responsabilidade de cada discípulo (Jo 15.8).

Infelizmente, muitos cristãos hesitam em fazer essa entrega fundamental, em assumir esse compromisso da reprodução espiritual. Satanás diz-nos que não somos suficientemente bons para fazer discípulos. Mas não se engane. Não é a sua bondade, mas a perfeição de Cristo em você que o qualifica a fazer discípulos. Não é aquilo que você sabe, mas aquele a quem você conhece. Se você morreu para si mesmo, então Cristo reproduzirá o caráter dele por seu intermédio.

Permita-me uma palavra de cautela. O discipulado requer um compromisso constante com a morte de si mesmo. Paulo diz: "Pois nós, que estamos vivos, somos sempre entregues à morte por amor a Jesus, para que a sua vida também se manifeste em nosso corpo mortal" (2Co 4.11). João declara ainda: "devemos dar a nossa vida por nossos irmãos" (1Jo 3.16).

O discipulado é um trabalho árduo. Paulo *afadigava-se* (Cl 1.28,29) para apresentar todo homem perfeito em Cristo. O discipulador tem o compromisso de investir a vida no seu aluno: "[...] decidimos dar-lhes não somente o evangelho de Deus, mas também a nossa própria vida, porque vocês se tornaram muito amados por nós" (1Ts 2.8). Gerar filhos espirituais exige muitas horas semanais, por muitos anos. Exige o desgaste de energia emocional. Paulo pergunta: "Quem está fraco, que eu não me sinta fraco? Quem não se escandaliza, que eu não me queime por dentro?" (2Co 11.29). O derramar da vida em favor de outra pessoa é um investimento que nos esgota. Não assuma um compromisso com Deus para uma relação de discipulado até que você conheça o preço disso.

Quando nosso ministério começou, a necessidade no gueto era tão esmagadora que praticamente qualquer pessoa que quisesse juntar-se a nós era aceita em nossa equipe. Muitos foram embora após alguns meses, "sentindo" que Deus os chamava para outro lugar. Mas como ministramos principalmente aos que estão fora das igrejas e os membros de nossa equipe trabalham no limite de sua capacidade, era raro que tivéssemos alguém para cuidar dos filhos espirituais dos ministros que se iam. Era muito frequente eu tentar explicar aos novos cristãos que assim que viesse mais um missionário, voltaríamos a dar a atenção pessoal que seu professor lhes dava. Não importava, porém, o que eu dissesse, esses bebês em Cristo pareciam ouvir: "Vocês já não se importam. Deus não me ama mais".

Fracos demais para enfrentar um relacionamento quebrado, esses novos cristãos caíam pelo caminho. Alguns ameaçavam suicidar-se. Outros voltavam ao roubo, às drogas ou à prostituição. Alguns morreram. Cada um tinha visto seu mestre como um reflexo de Deus e, quando abandonado, concluía que o próprio Deus tinha sido infiel. Numa cultura instável como a do gueto, nada poderia ser pior do que a deserção, o abandono.

Deus convenceu-nos do pecado desse abandono de filhos espirituais. Um Deus de excelência nunca pretende que sua obra seja deixada inacabada. Reconhecemos que precisávamos cuidar desses novos cristãos até que alcançassem maturidade suficiente para se alimentar espiritualmente sozinhos e estivessem integrados a um corpo saudável e funcional. Esse era o padrão divino. A obra de Cristo não estaria terminada até que seus homens fossem treinados.

Reconhecendo a gravidade da situação, nossa responsabilidade e conhecendo o coração de Deus, resolvemos que cada membro da equipe que viesse deveria ter um compromisso com Deus de ministrar conosco até, pelo menos, fazer um discípulo que pudesse levar avante o ministério por ele começado. Não existe um período determinado. Pode levar cinco, dez anos ou até mesmo uma vida toda. Um compromisso aberto como esse parece sem razão, a não ser que você seja um homem morto para si mesmo — vivendo com tempo emprestado.

Como o preço de entrar no nosso ministério é alto, cada membro em potencial de nossa equipe tem de considerar cuidadosamente as implicações. Eclesiastes 5.4,5 adverte: "Quando você fizer um voto, cumpra-o sem demora, pois os tolos desagradam a Deus; cumpra o seu voto. É melhor não fazer voto do que fazer e não cumprir". Se o candidato tiver qualquer dúvida, sugerimos que ele espere até que Deus confirme seu compromisso de permanecer conosco por todo o processo de fazer discípulos.

Recentemente, uma mulher assumiu esse compromisso com Deus na minha presença e começou a trabalhar conosco. Infelizmente, um ano mais tarde, ela mudou de ideia. Explicou que Deus a levava a quebrar o compromisso para que pudesse casar. Eu entendia seu desejo de casar, mas sabia que Deus não é autor de confusão (1Co 14.33). Ele "não mente nem se arrepende" (1Sm 15.29). Um homem morto para si mesmo sabe que o compromisso com Deus tem precedência sobre qualquer oportunidade subsequente. Deus não chamaria alguém para conduzir pessoas a Cristo e logo em seguida o dirigiria a abandonar esses bebês espirituais.

Intrinsecamente relacionado ao compromisso de ser pai espiritual está o de conduzir novos cristãos à maturidade. Meu coração se entristece quando grupos cristãos vêm ao gueto, chamam multidões por meio da música, teatro ou caridade simbólica e estimulam conversões em massa — para depois irem embora, tendo a audácia de esperar que, de alguma forma, esses convertidos abandonados sobrevivam. Dói quando outros invadem os bairros para praticar sua perícia evangelística apenas para ganhar experiência. Eles atacam comunidades inteiras com as palavras do evangelho, anotam numerosas decisões e retiram-se para a segurança do seu campo de treinamento a fim de comentar suas experiências. Em um desses casos, os frutos abandonados foram visitados em seguida pelas Testemunhas de Jeová. Essa "evangelização tiro-e-queda" demonstra desprezo pela nutrição espiritual, que é a preocupação primordial das epístolas do Novo Testamento. Despertar alguém a tornar-se cristão sem equipá-lo para viver a vida cristã é irresponsabilidade cruel.

Deus o fará responsável pela alimentação dos novos cristãos sobre os quais *você* foi posto como supervisor (At 20.28). Você tem de empregar suas energias em conduzir seus discípulos à reprodução.

Assuma agora mesmo um compromisso, pela fé, de obedecer à ordem de Cristo de fazer discípulos que reproduzam. Então, comece com uma pessoa. A Igreja de Cristo será edificada por meio do discipulado. O seu investimento pessoal resultará em cristãos totalmente consagrados ao serviço de Deus. E a natureza explosiva da multiplicação espiritual torna possível o cumprimento da Grande Comissão. Você foi criado para reproduzir!

Lista de verificação do discipulador — *Criado para reproduzir*

- ☐ A multiplicação espiritual é meu desejo sincero.
- ☐ Tenho um compromisso constante com a morte do meu eu.
- ☐ Estou comprometido em conduzir novos cristãos à maturidade.
- ☐ Creio que Deus me responsabilizará pelos novos cristãos sobre os quais ele me colocou como supervisor.

9
A escolha de um discípulo

No meu tempo de garoto, era moda jogar beisebol em terreno baldio. Todos os sábados à tarde, dividíamo-nos em times e jogávamos até que ficasse escuro demais para enxergar. O sucesso do meu fim de semana era frequentemente determinado pela qualidade dos meus colegas de time. A escolha dos jogadores certos quase sempre levava à vitória.

A escolha da pessoa a ser discipulada é de suma importância. Os seguintes princípios foram extraídos da experiência pessoal e creio que sejam indispensáveis para a escolha do discípulo.

TENHA UM ALTO PADRÃO

Jesus fez pescadores de homens somente aqueles que estavam dispostos a segui-lo (Mt 4.19). Ele exigiu que seus discípulos abandonassem tudo o que tinham, até mesmo a própria vida, se necessário fosse, para segui-lo. Eles teriam de atingir o seu padrão.

Cinco características ajudarão a identificar o discípulo em potencial:

1. Ele deseja conhecer intimamente a Deus

Seu espírito dócil indica fome de Deus e sede de justiça. Ele busca "conhecer Cristo, o poder da sua ressurreição e a participação em seus sofrimentos, tornando-me como ele em sua morte" (Fp 3.10). Sua constância em obedecer a Deus demonstra morte de si próprio (Tg 1.22-25). Deus disse:

> "Não se glorie o sábio em sua sabedoria nem o forte em sua força nem o rico em sua riqueza, mas quem se gloriar, glorie-se nisto: em compreender-me e conhecer-me, pois eu sou o Senhor e ajo com lealdade, com justiça e com retidão sobre a terra, pois é dessas coisas que me agrado" (Jr 9.23,24).

2. Ele está disponível

Sempre que houver oportunidade, ele está disposto e ansioso por estar com você. Sua disponibilidade demonstra a importância que ele dá ao seu relacionamento. Nós sempre reservamos tempo para as coisas que julgamos importantes. Os discípulos de Cristo deixaram emprego e ocupações para estar com ele. A disponibilidade deles provou o compromisso que tinham.

3. Ele é submisso

Ele reconhece que Deus não aceita menos que um espírito quebrantado e contrito (Sl 51.17). Sua vulnerabilidade e comunicação transparente demonstram confiança em Deus e em você. A qualidade de servo e o amor a você refletem submissão e respeito pela maturidade que você tem. Se ele ministrar a *você*, provavelmente é a pessoa certa. Paulo tinha a Onesíforo em alta conta porque ele muitas vezes o animou e nunca se envergonhou de servir Paulo, mesmo que este estivesse na cadeia (2Tm 2.16-18).

4. Ele é fiel

Ele é coerente na consagração cristã, nas responsabilidades de rotina e no amor a Deus. "O que se requer destes encarregados é que sejam fiéis" (1Co 4.2). O Espírito de Deus valoriza tanto a fidelidade que inspirou Paulo a fazer da fidelidade o ingrediente-chave para determinar quais homens deveriam ser treinados (2Tm 2.2).

5. Ele deseja fazer discípulos

Ele entende que o cristão maduro está comprometido em fazer discípulos. Deseja crescer no Senhor a fim de glorificar a Deus reproduzindo nos outros a vida em Cristo.

Esses cinco critérios podem parecer muito elevados. Mas a qualidade obtida é determinada pelo padrão estabelecido. Se você aceitar a mediocridade, será isso que obterá. Cada ano, nossos diretores recapitulam as diretrizes para a aceitação de novos membros de equipe. Invariavelmente, quando elevamos as exigências, a qualidade dos candidatos melhora proporcionalmente. Não tenha receio de exigir um alto padrão.

ORE COM PERSISTÊNCIA

Jesus escolheu seus discípulos somente depois de passar "a noite orando a Deus" (Lc 6.12). O Pai deu a Jesus o conhecimento interior para ver o potencial de Pedro, o impetuoso, que seria chamado Cefas, a rocha (Jo 1.42). Por trás do ceticismo de Natanael, ele viu o caráter de um homem "em quem não há dolo" (Jo 1.47). A direção de Deus na escolha do discípulo é uma ordem. "[...] Não considere sua aparência nem sua altura, pois eu o rejeitei. O Senhor não vê como o homem: o homem vê a aparência, mas o Senhor vê o coração" (1Sm 16.7).

Não existe maneira pela qual possamos induzir uma pessoa a morrer para si mesma e iniciar em um relacionamento de discipulado. Jesus ensinou: "Ninguém pode vir a mim, se o Pai, que me enviou, não o atrair; e eu o ressuscitarei no último dia" (Jo 6.44). Só Deus pode preparar uma pessoa para tornar-se discípulo que reproduza um caráter semelhante ao de Cristo em outras pessoas. Deus disse: "[...] Separem-me Barnabé e Saulo para a obra a que os tenho chamado" (At 13.2). Até os próprios discípulos de Cristo foram dados a ele por Deus Pai (Jo 17.6).

A escolha de um discípulo exige oração persistente. Junto com seus líderes espirituais, peça a Deus para levá-lo à pessoa que ele quer que você discipule.

ESCOLHA COM CUIDADO

Jesus demonstrou seu compromisso com uma escolha de qualidade ao chamar apenas alguns homens dentre as multidões (Lc 6.13). Alguns que quiseram estar com ele receberam a resposta de que não poderiam (Lc 8.38,39). Os que eram muito confiantes, ou tinham prioridades erradas, ou estavam presos a motivações antigas foram excluídos (Lc 9.57-62). Ao concentrar-se em poucos indivíduos, Jesus resistia à tentação de se sobrecarregar a ponto de não poder ministrar efetivamente.

Quando você achar que encontrou um discípulo em potencial, desenvolva um relacionamento de pré-discipulado com ele antes de convidá-lo para o discipulado. O pré-discipulado é o treinamento de um discípulo em potencial "acerca de como viver a fim de agradar a Deus" (1Ts 4.1). Essa relação tem duas vantagens. Capacita-o a crescer da infância à juventude espiritual e permite que você avalie a profundidade de seu comprometimento.

Treinamento em pré-discipulado

Os primeiros convertidos em Jerusalém foram alimentados ao se dedicarem "ao ensino dos apóstolos e à comunhão, ao partir do pão e às orações"(At 2.42).

Primeiro, o seu discípulo em potencial tem de fazer parte de um corpo saudável e funcional em que ele aprenda, pela observação, como ser semelhante a Cristo e onde possa experimentar a comunhão, o amor e a responsabilidade de que necessita.

Além disso, ele precisa ser encorajado a solidificar a vida cristã. Ele precisa estar arraigado em Cristo e obter dele o alimento (Cl 2.7). Isso significa que ele deve estar equipado para se alimentar espiritualmente por meio do estudo regular da Palavra de Deus, da memorização de textos bíblicos, da meditação, da oração e da adoração.

É necessário que você trabalhe com ele em cada uma dessas disciplinas para assegurar que elas se tornem parte de sua vida. *Diga-lhe por que* ele deve estudar, memorizar, meditar, orar e adorar. Ensine, pela Bíblia, que essas coisas são importantes e demonstre o seu valor falando da experiência que você tem nessas áreas. Ressalte que a prática dessas disciplinas não é legalismo, mas fidelidade. *Mostre-lhe como*, ensinando-lhe um ou dois métodos que você usa. *Ajude-o a começar*, praticando-as com ele. *Ajude-o a perseverar*. O seu exemplo o encorajará a ser fiel.

Compartilhe com regularidade princípios que você tenha aprendido e como você os tem aplicado. Esteja disponível para responder às perguntas dele. Dê a ele a responsabilidade de executar tarefas e aplicações práticas diariamente.

Quando o seu aluno estiver fielmente praticando cada um desses pontos fundamentais da vida cristã sem que você tenha de "empurrá-lo", seu relacionamento de pré-discipulado terá tido êxito.

Observe de perto

O pré-discipulado permite que você se familiarize com um discípulo em potencial. Desse modo você verificará sua motivação, capacidade de aprendizagem, seu compromisso com Deus e decidir se poderá discipulá-lo ou não, levando em conta sua vida, e não apenas suas palavras.

É essencial que ele assimile os pontos básicos do cristianismo e que você o conheça bem antes de iniciar um relacionamento de discipulado. A primeira epístola a Timóteo 5.22 adverte: "Não se precipite em impor as mãos sobre ninguém [...]".

Tome a iniciativa

Se o Espírito de Deus confirmar a você e aos que exercem autoridade sobre você que deve discipular alguém, então tome a iniciativa. Na compaixão de Deus pela humanidade não regenerada, ele se fez carne e habitou entre nós (Jo 1.14). Deus tomou a iniciativa. Quando Cristo começou o ministério de fazer discípulos, ele chamou cada discípulo pessoalmente (Jo 6.70).

Faça o convite

Explique a seu discípulo em potencial que, após muita oração e aconselhado por seus líderes espirituais, Deus o levou a convidá-lo para assumir um compromisso de discipulado. Ressalte que o interesse que ele demonstra em conhecer a Deus, sua disponibilidade, seu espírito submisso, sua fidelidade e visão de fazer discípulos indicam que Deus o preparou a fim de que seja equipado para ensinar outros.

Enfatize que esse relacionamento exigirá bastante tempo. Vocês se encontrarão em um ambiente apropriado pelo menos três horas por semana. Ele terá de realizar tarefas escritas, memorizar versículos e fazer um estudo bíblico regularmente. É preciso que ele concorde com esse compromisso mínimo de tempo antes de começar. À medida que ele amadurecer, a participação dele no ministério aumentará gradativamente. Ele deverá encarar o crescimento espiritual como prioridade máxima.

Diga-lhe que o relacionamento pessoal com um cristão maduro oferecerá treinamento de qualidade e suprirá suas necessidades individuais. Uma vez que o ritmo do discipulado tem relação direta com o amadurecimento espiritual do discípulo, este adquirirá uma compreensão profunda do estilo cristão de vida.

Explique o relacionamento

O propósito do relacionamento de discipulado é equipar alguém que morreu para si mesmo a reproduzir em outras pessoas um caráter semelhante ao de Cristo. Explique a seu discípulo em potencial que, sem compromisso e submissão, não haverá um relacionamento de discipulado.

Compromisso. Diga-lhe por que devem ter *um compromisso mútuo*. Explique que sem isso é fácil desistir com o primeiro sinal de luta ou desanimar quando houver indicação de fraqueza. Consequentemente, vocês se comprometem na presença de Deus a crescer mutuamente na plenitude de seu Filho, não importa o preço que terão de pagar. Compromisso significa que não existem desistências, limites, reservas.

Em 1975, eu voava de St. Louis para Los Angeles quando o piloto anunciou que havia "séria ameaça" de existir uma bomba no avião. Fizemos um pouso de emergência e recebemos ordem para abandonar imediatamente o avião. Ao abrirmos a porta, uma superfície móvel e estreita saiu automaticamente do avião e começou a inflar. Saiu reta, paralela ao chão. Hesitei por um momento, com medo de pular, mas com mais medo de não pular.

Antes mesmo que o aparato tocasse o chão, joguei-me sobre essa tênue saída. As palavras não descrevem o terror que senti. Mas desde o momento em que saltei, eu estava preso à minha decisão.

Uma vez que Deus exige fidelidade inabalável, o compromisso de discipulado é tão sério quanto aquele salto do avião. Afirme ao seu discípulo em potencial que, assumido esse compromisso, vocês dois estão ligados por ele. Assegure-lhe que, mesmo que ele tropece, você permanecerá fiel. Explique que ele deve comprometer-se a observar, escutar, seguir a sua direção e obedecer a ela para chegar à maturidade em Cristo. Esse compromisso mútuo, sem reservas, é a base de seu relacionamento.

Submissão. Diga a seu discípulo em potencial por que ele deverá submeter-se a você como aquele em quem Deus investiu autoridade para treiná-lo para a reprodução. Sua submissão é imprescindível porque sem ela você não poderá exercer autoridade. Cristo chamou seus discípulos, mas, antes de começar a treiná-los, eles tiveram de segui-lo.

Certifique-se de que seu relacionamento esteja claramente definido e de que seu discípulo em potencial entenda o papel de cada um. Ele precisa saber que a liderança que você tem é provada por seu compromisso e caráter, e não por cursos e habilidades. Seus líderes devem explicar a ele que sua submissão ativa a eles qualifica você para a liderança. Isso lançará seu relacionamento na direção certa e ajudará a estabelecer sua autoridade.

Seu discípulo em potencial deverá comprometer-se a uma submissão com alegria. Hebreus 13.17 diz:

> Obedeçam aos seus líderes e submetam-se à autoridade deles. Eles cuidam de vocês como quem deve prestar contas. Obedeçam-lhes, para que o trabalho deles seja uma alegria e não um peso, pois isso não seria proveitoso para vocês.

Como pode um líder experimentar a alegria se seu discípulo não se submete com alegria a ele? Mostre a seu discípulo em potencial que é bom saber que você é responsável perante Deus para guiá-lo na caminhada cristã e em velar pelo seu bem-estar.

Mais que tudo, essa submissão significa confiança. Recentemente, um jovem que experimentou uma conversão dramática das drogas e do crime, por meio de nosso ministério, foi convidado a dar seu testemunho na rede nacional de televisão. Aconselhei-o a não dar a entrevista naquela época. As circunstâncias não me permitiam explicar as razões do meu conselho. Pedi simplesmente que ele confiasse em mim. Foi uma alegria ver que ele concordou imediatamente por causa de seu compromisso de submissão. Mais tarde pude lhe mostrar o perigo do orgulho e a importância de viver essa nova vida antes de uma exposição pública e prematura.

Explique a seu discípulo em potencial que a submissão dele oferece segurança em encontrar a vontade de Deus porque ele tem a oportunidade de se aconselhar com você. Assegure-lhe que, se você não souber a resposta, procurará obtê-la de seus líderes e receberá uma resposta de autoridade, e não mera opinião. "Quem sai à guerra precisa de orientação, e com muitos conselheiros se obtém a vitória" (Pv 24.6).

Seu discípulo em potencial deve submeter-se *ativamente* a você. Essa submissão ativa é o contrário da obediência passiva; é tomar a iniciativa nas áreas que afetam o crescimento. O discípulo deve procurar com empenho a direção de seu líder para que chegue à maturidade. Ele deve escolher ser transparente e vulnerável em áreas que de outra maneira poderiam permanecer ocultas. Efésios 4.15 diz que devemos sempre dizer a verdade em amor para que cresçamos em Cristo.

O discípulo não hesita em compartilhar tristezas e fraquezas. Tiago 5.16 ensina: "... confessem os seus pecados uns aos outros e orem uns pelos outros para serem curados. A oração de um justo é poderosa e eficaz". Ele não tenta proteger-se escondendo quem é. Você não pode levar os fardos de seu discípulo, a não ser que ele os compartilhe (Gl 6.2). Deixar de falar das lutas indica que ou ele não deseja sinceramente conhecer o padrão de Deus ou não quer viver segundo esse padrão.

Um amigo travava uma luta com a lascívia. A promiscuidade berrante do gueto tinha feito que ele perdesse totalmente essa batalha. Ele tinha quebrado tantas promessas feitas a Deus de manter o coração puro e a mente limpa que se sentia um constante mentiroso.

Satanás procurou enfatizar que a confissão o faria perder responsabilidades de liderança e o deixaria severamente restrito em suas atividades. Mas ele sabia que continuar sem confessar, sem obter a purificação e a vitória significaria destruir sua utilidade e reproduzir carnalidade em outras pessoas. Finalmente, reconheceu que não poderia ganhar a batalha sozinho.

Ele decidiu que desejava ser semelhante a Cristo e nada menos o satisfaria, não importava o custo. Suas responsabilidades foram restringidas, sua liberdade foi limitada e seu orgulho sofreu um tremendo baque. Mas, por meio da prestação de contas, de encorajamento regular e de muita oração, Deus deu a ele vitória. Hoje, ele é puro e tem um ministério bem-sucedido.

Ao revelar áreas de dificuldade, o discípulo em potencial perpetuará seu próprio crescimento e demonstrará que confia em você. Quanto mais ativamente ele se submeter, melhor será a qualidade do treinamento que receberá. A submissão ativa é vital para a saúde espiritual. A única resposta apropriada que um homem morto pode dar a seu Deus e a seu discipulador é a submissão alegre e ativa.

Prometa a seu discípulo em potencial que, baseado na submissão dele, você o tornará responsável em todas as áreas da vida. Paulo fez isso com Arquipo: "[...] Cuide em cumprir o ministério que você recebeu no Senhor" (Cl 4.17). Todo discípulo experimenta maior crescimento se for responsável por outro. Este pode ser elogiado, encorajado, desafiado ou admoestado em particular, sem estimular o orgulho e sem causar embaraços.

A vida cristã baseia-se na disciplina, que será desenvolvida no seu discípulo somente à medida que você torná-lo responsável por isso. Paulo animava os de Tessalônica a seguir seu exemplo de vida disciplinada (2Ts 3.7). Embora muitos de nossa equipe fossem cristãos por anos, não haviam feito do estudo bíblico, da memorização das Escrituras, da meditação, da oração e da adoração parte integrante da vida cotidiana. Mas, quando se comprometeram a ter um relacionamento pessoal, no qual deveriam prestar contas uns aos outros, o resultado foi uma maior consagração a Deus e uma comunidade cristã mais saudável.

Comunique a visão

Certifique-se de que seu discípulo entenda que ele faz parte de um processo. Primeiro, a obediência à ordem de Jesus de segui-lo exigiu a morte de si mesmo. Depois, o relacionamento de pré-discipulado equipou-o a viver a vida cristã. Agora ele está sendo convidado a ser um discípulo funcional — a participar da evangelização e do pré-discipulado de outra pessoa. À medida que ele amadurecer em Cristo, irá se tornar um discipulador, alguém que investe a vida ativamente em outro discípulo. Finalmente, quando este discípulo começar a fazer discípulos, irá tornar-se líder de discipuladores.

O seu relacionamento não deve apenas dar saúde espiritual à vida pessoal do discípulo. Nenhum discípulo é um fim em si mesmo, mas sim um elo no grande plano de Deus para expandir sua Igreja por meio da reprodução. Ele investirá em outras pessoas pelo resto da vida.

Deixe que ele decida

Depois de explicar detalhadamente as implicações do discipulado, dê a seu discípulo em potencial uma ou duas semanas para orar a fim de decidir sobre assumir tal compromisso. Não tente forçar uma resposta positiva. É muito importante dar a ele a liberdade de escolha. Só o Espírito Santo pode chamar as pessoas para uma relação de discipulado. Se ele não estiver pronto para tal compromisso, é melhor que você saiba antes de investir horas nele.

Não posso exagerar a importância de seguir cada um desses passos na escolha do discípulo. Você pode estar ansioso por começar a fazer discípulos. Isso é recomendável, mas seu anseio deve ser temperado com a paciência — espere o tempo de Deus e a pessoa de Deus.

Infelizmente, tenho de admitir que em diversas ocasiões negligenciei cada um desses passos, e isso causou curto-circuito no meu ministério. Uma pessoa demonstrou todas as características do discípulo, exceto a fidelidade. Convencido de que eu poderia ajudá-la nesse ponto, eu pus em risco o padrão de Deus. Nosso relacionamento continuou por 18 meses até que sua infidelidade se tornou intolerável.

Em outra ocasião, eu estava tão certo de que o coração de um homem era correto que deixei de buscar a confirmação de Deus em oração. Esse "discípulo ideal" foi embora em dois meses.

Várias pessoas que desejaram ser discipuladas vieram com credenciais impecáveis — diplomas e certificados impressionantes, recomendações de alto nível. Eu costumava ficar embaraçado demais para insistir em observar primeiramente sua vida e consagração cristã. Mas inevitavelmente nosso relacionamento não passava de um pré-discipulado, alimentando cristãos imaturos nas disciplinas básicas do cristianismo. O perigo aí é que o aluno presume estar-se transformando em discípulo e, portanto, acha que está em condições de fazer discípulos. Sua demora em morrer para si mesmo reforça a ideia enganosa de que seu valor está nas habilidades, e não no caráter. Se você estiver em um relacionamento de pré-discipulado, chame-o por este nome, mesmo que esteja caminhando para o discipulado.

Certa vez, iniciei um relacionamento de discipulado sem definir o que esperava. O indivíduo assegurou-me de que sabia o que estava envolvido nele, mas nunca foi submisso. Ele não queria ser discipulado; queria comunhão sem responsabilidade.

Oro para que você aprenda com meus erros. Se você seguir esses passos na escolha de um discípulo, a probabilidade de que haja reprodução de qualidade é alta e a sua alegria será imensurável.

> Lista de verificação do discipulador — *A escolha de um discípulo*
> ☐ Estabeleci um alto padrão para meu discípulo.
> > ☐ Ele deseja conhecer intimamente a Deus.
> > ☐ Ele está disponível.
> > ☐ Ele é submisso.
> > ☐ Ele é fiel.
> > ☐ Ele deseja fazer discípulos.
> ☐ Tenho orado com persistência.
> ☐ Escolhi com cuidado.
> ☐ Tomei a iniciativa.
> > ☐ Fiz o convite.
> > ☐ Expliquei o relacionamento.
> > ☐ Comuniquei a visão.
> > ☐ Deixei que ele decidisse.

10
O discipulado é relacional

O discipulado é um encontro de uma vida com outra. Não é apenas uma série de reuniões sobre determinado plano de estudo. É essencialmente relacional — um investimento de tudo que você é em outra pessoa. O sucesso em reproduzir a plenitude da vida que você tem em Cristo no seu discípulo aumentará ou diminuirá conforme a força do relacionamento.

Permita que eu sugira oito qualidades que o auxiliarão a desenvolver um relacionamento saudável com seu discípulo.

CALOR HUMANO

O calor humano é uma atitude de amor e bondade demonstrada por meio de um conjunto de comunicações verbais e não-verbais.

O *amor* pelo outro é o indicador mais significativo do amor a Cristo. A primeira epístola de Pedro 1.22 encoraja os cristãos, dizendo: "[...] amem sinceramente uns aos outros e de todo o coração". Altruísmo, serviço e compromisso compõem o amor e distinguem um relacionamento de submissão e autoridade das associações existentes no mundo.

O amor busca o melhor para o irmão. Ele se evidencia em interesse genuíno. Paulo disse a Barnabé: "[...] Voltemos para visitar os irmãos em todas as cidades onde pregamos a palavra do Senhor, para ver como estão indo" (At 15.36). O discípulo é um amigo, e não um projeto espiritual. Escute suas mágoas e conforte-o nas tristezas. Considere seus interesses, alegrias e preocupações como se fossem seus. Tenha interesse sincero pelas pessoas e pelos eventos que as afetam.

Se você servir a seu discípulo com alegria, ele saberá que você o ama e respeitará e buscará sua liderança. Paulo disse: "Assim, de boa vontade, por amor de vocês, gastarei tudo o que tenho e também me desgastarei pessoalmente. Visto que os amo tanto [...]" (2Co 12.15). O amor sacrificial impulsionará seu discípulo para o alvo de "que vocês sejam maduros e íntegros, sem lhes faltar coisa alguma" (Tg 1.4).

O amor por seu discípulo baseia-se no seu compromisso com ele. Transcende sentimentos emocionais. Muitos dos discípulos de Cristo o abandonaram enquanto ele morria por todos. Mas o compromisso de Cristo com eles foi inabalável: "[...] amou-os até o fim" (Jo 13.1). O amor de Paulo fez que ele se dispusesse a ser amaldiçoado se isso pudesse salvar seu povo (Rm 9.3). O amor motiva-nos a andar a segunda milha com o discípulo, a estender-nos para animá-lo e edificá-lo. Transforma o espírito julgador, abrupto ou exigente em perdão, paciência e compreensão.

Ouça as expressões de amor dos apóstolos a seus filhos espirituais: "[...] muito amados [...]" (1Ts 2.8); "Anseio vê-los [...]" (Rm 1.11); "[...] uma vez que os tenho em meu coração [...] como tenho saudade de todos vocês [...]" (Fp 1.7,8); "Não tenho alegria maior do que ouvir que meus filhos estão andando na verdade" (3Jo 4).

Nunca se envergonhe de dizer a seu discípulo que você o ama. Recentemente telefonei para Norm Boswell, que vive a 4.828 km de onde eu moro, simplesmente para dizer-lhe: "Eu o amo". Norm ficou surpreso e maravilhado em saber que essa era a única razão do meu telefonema. Susie surpreendeu sua discípula com um buquê de flores. Mary buscou sua discípula, de uma reunião, com seu carro, simplesmente para ela não precisar voltar para casa a pé na chuva. Afirme seu amor pelo discípulo.

Explique, porém, que o amor exige que o relacionamento não seja exclusivista. A morte para si mesmo inclui colocar limites em amizades preciosas por amor do Reino de Deus. Ambos precisam relacionar-se com outros e dar-se livremente a eles. A relação tem de centrar-se em Cristo, e não no *eu*.

Ternura é algo que intensifica a liderança. Paulo era terno como "ama que acaricia os próprios filhos" (1Ts 2.7). Sua sensibilidade aos sentimentos do discípulo irá estimulá-lo ao crescimento. Ele tem de ter segurança de que seu amor por ele não mudará diante das falhas que ele tem ou por ele ser humano: Paulo exorta: "Aceitem o que é fraco na fé [...]" (Rm 14.1).

Certa noite, eu estava com um discípulo que parecia muito nervoso. Depois de alguns minutos, em lágrimas, ele confessou que tinha mentido para mim. Um mês antes, ele tinha-me dito que um homem com quem eu queria marcar um encontro não poderia atender. Agora, confessava que tinha-se esquecido de telefonar e ficou com medo de me dizer a verdade.

Ele esperava que eu fosse ficar furioso. Pensei por um instante e então pedi desculpa por ter transmitido um espírito tão exigente que ele tivesse medo de admitir sua falta. Assegurei-lhe de que nosso relacionamento era mais importante do que qualquer compromisso e que meu amor por ele não mudava em razão do que ele fazia ou deixava de fazer. Mais tarde, ele disse que o fato de tê-lo aceitado naquela noite foi o fator mais significativo para ele crer que Deus poderia usá-lo para fazer discípulos.

Se você fala do amor incondicional de Cristo e mostra desprezo quando seu discípulo admite algum pecado, seus atos negam suas palavras. Sua vida deve comunicar: "Eu amo você. Estou do seu lado".

Ternura exige tato, uma percepção aguçada da coisa certa para se dizer ou fazer sem ofender o outro. Isso permite que você continue fiel a seus princípios sem fazer disparar os mecanismos de defesa do discípulo. Provérbios 15.23 observa: "[...] como é bom um conselho na hora certa".

O tato exige sabedoria divina. Tiago 3.17 ensina: "Mas a sabedoria que vem do alto é antes de tudo pura; depois, pacífica, amável, compreensiva, cheia de misericórdia e de bons frutos, imparcial e sincera".

Há alguns anos, uma das pessoas de nossa equipe foi transferida para outra cidade. Depois que ela chegou, apontou imediatamente muitas das falhas do ministério naquela cidade e sugeriu como poderia ser mais efetivo e eficaz. A equipe na nova cidade agiu com defesas, rejeitando tudo o que ela disse.

Mesmo que essa jovem tivesse conhecimento prático e experiência que pudessem beneficiar grandemente o seu ministério, faltava-lhe o tato. Ela deveria ter deixado para outra ocasião tratar sobre questões pessoais e o trabalho até que soubessem que ela os amava. Uma torrente de perguntas é frequentemente interpretada como interrogatório. As pessoas tornam-se defensivas quando os outros atiram sobre tudo o que fazem ou sugerem imensas mudanças rápido demais.

"O Senhor é compassivo e misericordioso, mui paciente e cheio de amor" (Sl 103.8). O seu calor, como o de Cristo, resguarda a validez do evangelho. Encoraja o respeito e a receptividade do discípulo.

LEALDADE

A lealdade é um compromisso coerente com outra pessoa. Significa ficar a seu lado nos problemas, como também nas alegrias. Poucas coisas solidificam mais um relacionamento do que aguentar juntos uma crise. "Tudo sofre, tudo crê, tudo espera, tudo suporta" (1Co 13.7).

O discípulo nunca deve questionar sua lealdade. Se ele falhar, nunca expresse falta de fé nele ou deixe subentendido que você deseja abandonar o relacionamento. Fale de seu desapontamento somente com os líderes que poderão ajudá-lo a edificar seu discípulo. Efésios 4.29 instrui: "Nenhuma palavra torpe saia da boca de vocês, mas apenas a que for útil para edificar os outros, conforme a necessidade, para que conceda graça aos que a ouvem".

Houve épocas em que sinceramente acreditei em pessoas e as defendi até o fim. Mais tarde, porém, descobri que eu estava errado. Mas nunca me arrependi de ter sido leal. Um homem morto não se sente usado ou abusado. Ele nada tem a perder por ser leal a seus discípulos.

IMPARCIALIDADE

A imparcialidade exige que sejamos imparciais. "Pois em Deus não há parcialidade" (Rm 2.11) e não deve haver acepção de pessoas entre o povo de Deus (Tg 2.1). O seu discípulo deve saber que você é imparcial.

Tenho o privilégio de investir em nove pessoas que dirigem nosso ministério em cidades pelos Estados Unidos. Elas são de diversas origens, capacidades intelectuais variadas, personalidades singulares e potenciais diferentes.

Procuro cuidadosamente aceitar cada diretor do jeito que ele é e desenvolver seus talentos especiais e suas habilidades. Pedi a Deus que me ajudasse a vencer quaisquer preferências de personalidade que pudessem impedir meu aproveitamento e proteger-me de motivar um discípulo comparando o seu crescimento com o de outro. O único padrão uniformizado para o qual todos prosseguimos é o de um caráter semelhante ao de Cristo.

É injusto exigir ou mesmo esperar igualdade no entendimento bíblico, na retenção das Escrituras ou no desempenho do ministério. Cada pessoa é criação inimitável de Deus e deve ser tratada como única.

Se você tenta dirigir o seu discípulo com um plano inflexível, predeterminado, será um desastre. Se tentar fazê-lo encaixar-se num molde desejado, ficará desapontado. A imparcialidade exige que você respeite a singularidade do seu discípulo e tenha prazer na variedade que existe no corpo de Cristo.

Se o seu discípulo acusa de erro outro membro do corpo, demonstre que você é leal e imparcial com cada pessoa. Não concorde nem discorde até que tenha conversado com ambos os lados, preferivelmente juntos. "Quem guarda a sua boca guarda a sua vida, mas quem fala demais acaba se arruinando" (Pv 13.3). Ouça cada ponto de vista. Ore. Depois, procure a resposta na Palavra de Deus e por meio de seus líderes. Ajude seu discípulo a focalizar novamente seu propósito e alvos. Ensine-lhe a pedir perdão e a perdoar. Juntos, reafirmem o compromisso de unidade para a glória de Deus. Se seu discípulo souber que esta é a sua maneira de tratar, ele obedecerá a Zacarias 8.16: "[...] Falem somente a verdade uns com os outros, e julguem retamente em seus tribunais".

MATURIDADE

A maturidade é o andar firme e fiel com Deus. Jesus disse: "[...] sempre faço o que lhe agrada". (Jo 8.29). Paulo disse: "Tanto vocês como Deus são testemunhas de como nos portamos de maneira santa, justa e irrepreensível entre vocês, os que creem" (1Ts 2.10).

Como você procura produzir integridade em cada área da vida do seu discípulo, você tem de ser constantemente maduro. Ele aprenderá a servir, a ser sensível e a ter a atitude correta quanto à responsabilidade pelo seu exemplo. Ele imitará sua conduta e respeitará sua maturidade.

A recíproca também é verdadeira. Seu discípulo verificará se você vive aquilo que ensina. Ele o observará mesmo quando você não estiver percebendo. Um comentário sarcástico, uma piada duvidosa, uma falta de confiança nos seus líderes ou uma atitude ciumenta serão observados e imitados.

A maturidade nunca impede a formação de um relacionamento de discipulado. Quando Marge era novata em nossa equipe, ela estava tão ansiosa por desenvolver intimidade e amizade com algumas jovens que fazia quase tudo que elas faziam. Seu zelo era recomendável, e ela tornou-se querida pelas moças. Mas, com o passar dos meses, notamos que, quando alguma moça tinha um problema sério ou queria orientação em uma decisão importante, procurava a diretora feminina, e não Marge. Marge tinha-se tornado "apenas uma das moças" e não ganhara o respeito delas. A imaturidade é um preço alto demais a pagar pela aceitação.

DISPONIBILIDADE

Seu discípulo é prioridade máxima no corpo, a não ser que você seja casado. Se você for casado, o discípulo vem logo após sua família. Mesmo que Paulo tenha encontrado uma porta aberta para pregar o evangelho em Trôade, ele saiu para encontrar-se com Tito (2Co 2.12,13). Tito era mais importante para Paulo do que toda a cidade de Trôade. Você precisa tomar uma resolução segura de manter seu discípulo como prioridade.

Você e seu discípulo precisam ter acesso máximo um ao outro para ter um relacionamento de qualidade. Talvez vocês precisem de mais de três horas de um encontro formal por semana se estiverem tendo dificuldade em conhecer um ao outro, ou se o seu discípulo estiver inseguro. Embora um encontro deva ser reservado para treinamento, estudo bíblico e apoio, podem ser designados outros momentos para comunhão, troca de experiências e atividades em conjunto.

Esteja disposto a investir em seu discípulo e desafiá-lo mesmo que suas muitas dúvidas e seu forte desejo de aprender exija grande período de tempo. Não lhe sufoque o fervor. Seja especialmente sensível em tempos de ajuste ou crise. Se ele estiver lutando com vícios, tais como pensamentos impuros ou "fazer" em vez de "ser", ajude-o dia e noite.

Quando você obedeceu à ordem de Cristo de segui-lo, confiou a ele o direito de determinar sua própria agenda. "[...] vocês não são de si mesmos? Vocês foram comprados por alto preço..." (1Co 6.19,20). Todo o seu tempo tornou-se tempo de Deus, para ser usado conforme for melhor para a honra dele.

Se você estiver muito ocupado para o seu discípulo quando ele precisar de sua ajuda, você está ocupado além da conta. Um discípulo a quem amo profundamente telefonou-me às 2 horas da manhã e, com voz soluçante, perguntou simplesmente se poderíamos nos encontrar naquele exato momento.

Sem hesitação, corri ao lugar determinado e gastei várias horas em oração e aconselhamento. Foi o investimento mais sábio que fiz em termos de fortalecimento de nosso amor e compromisso. Ele sabia que eu o considerava de máxima importância e que, quando o seu mundo estava desmoronando, eu estaria ali para ajudá-lo a juntar novamente os pedaços. Momentos como esse marcam com tinta indelével na vida do seu discípulo os princípios que governam um relacionamento saudável.

Em uma viagem recente que fiz a Wichita, meu horário estava todo tomado com treinamento de equipe, palestras e reuniões particulares. Enquanto nosso diretor Al Ewert e eu nos dirigíamos de uma reunião para outra, conversamos a respeito de sua longa lista de perguntas sobre o ministério.

Minha última reunião demorou mais do que eu esperava, e acabei perdendo o avião. Como o avião seguinte só sairia dali depois de quatro horas, cansado, sugeri que fôssemos tomar um café.

Uma vez sentados, falei-lhe de algumas das pressões, prazos e emergências com que estava lutando. O encorajamento que Al me ofereceu foi como uma brisa fresca em um dia escaldante de verão. Não demorou muito, eu estava pensando nos sonhos e alvos — tinha certeza de que Deus realizaria coisas mais poderosas do que podíamos imaginar. Al confirmou minha visão e ofereceu ainda vários pensamentos inspiradores que Deus estava dando.

O tempo passou depressa. Quando tomei o avião, mal acreditava em como me estava sentindo reanimado. Alguns dias depois, Al telefonou-me para dizer que para ele aquele tempo tomando café tinha sido o ápice de minha visita a Wichita — como certamente foi o auge para mim.

Não desperdice o tempo fazendo longas viagens de carro sozinho ou ficando sozinho no aeroporto. *Convide seu discípulo para estar com você*. Essas são oportunidades preciosas de ensinar, ter comunhão e ser uma influência constante. Jesus não queria que alguém soubesse que estavam passando pela Galileia, para poder gastar mais tempo com seus discípulos, ensinando-os (Mc 9.30,31). Ele nunca estava ocupado demais ou cansado demais para suprir-lhes as necessidades.

PACIÊNCIA

Paciência significa ser tardio para irar-se. É fé em ação, e não passividade. A paciência compele-nos a estender a graça a nosso discípulo sem comprometer o padrão de Deus. É a prevenção contra a amargura. A paciência é a marca registrada do discipulador.

Jesus começou com homens não qualificados que precisavam ser instigados e animados a cada passo. Levou tempo para os seus discípulos desenvolverem o caráter espiritual, mas o Senhor continuou trabalhando com aqueles homens até que se tornassem como ele. Ele nunca desistiu; suportou a ousadia de Tiago e João, a instabilidade de Pedro e a dúvida de Tomé. Isso é paciência.

Deus promete a seus filhos essa mesma espécie de paciência, como a de Cristo (Rm 15.5). Os que fazem discípulos devem esperar pelo tempo e pela direção de Deus. Talvez seu discípulo tenha medo de gente. Pode ser que ele resista às mudanças ou esteja lutando contra as prioridades. Esses obstáculos, porém, podem ser vencidos enquanto ele o observa e o Espírito Santo age em sua vida. Mas você tem de ter paciência.

Leva tempo para fazer discípulos. No gueto, talvez gastemos seis meses para fazer uma amizade com uma pessoa e depois mais seis meses antes que ela assuma um compromisso com Cristo. Podemos passar um ano alimentando esse novo cristão e depois mais três anos preparando-o até que ele possa dar frutos. Contudo, cinco anos de investimento em uma pessoa valem a pena, se ela se tornar um discípulo que ganhe outros.

A primeira vez em que encontramos Virgílio foi logo após ele ter quebrado nossas janelas e arrombado a casa de nossa equipe feminina em Los Angeles. Isso foi há sete anos. Hoje ele está sendo treinado para fazer discípulos. Ninguém de nossa equipe se arrepende do tempo investido nele.

No gueto, a maioria de nós orou e investiu em pessoas que mais tarde rejeitaram Cristo. Mas não nos desanimamos. Continuamos em frente.

> Portanto, visto que temos este ministério pela misericórdia que nos foi dada, não desanimamos [...]. De todos os lados somos pressionados, mas não desanimados; ficamos perplexos, mas não desesperados; somos perseguidos, mas não abandonados; abatidos, mas não destruídos (2Co 4.1,8,9).

Nem o ceticismo nem a oposição devem impedir seu compromisso de investir no discípulo. Quando sua paciência for testada, afirme a fé na soberania de Deus, conforme Filipenses 1.6: "Estou convencido de que aquele que começou boa obra em vocês, vai completá-la até o dia de Cristo Jesus".

SINCERIDADE

A base para todo relacionamento saudável é a comunicação sincera. Esta é construída sobre o compromisso recíproco e sobre o conhecimento de que a transparência é para seu próprio bem. Efésios 4.25 instrui-nos a deixar de lado toda a hipocrisia e falar a verdade. O seu relacionamento não se desenvolverá, a não ser que tanto você como seu discípulo se comuniquem abertamente. Vocês têm de estar atentos às necessidades e aos sentimentos um do outro. Não espere que ele seja perfeito; apenas que seja honesto e sincero.

Não sei de outra coisa que gere mais sinceridade do que a intimidade de um relacionamento de discipulado. Muitos cristãos têm vergonha de falar de suas lutas e ansiedades, temendo que seus fardos mais íntimos se transformem em mexericos. Mas o discípulo sabe que você protegerá sua reputação. Ele pode conversar, em confiança, com você a respeito de qualquer assunto porque está seguro do amor que você lhe dedica. "No amor não há medo [...]" (1Jo 4.18), para que possamos "andar na luz" (1Jo 1.7). Seu discípulo deve comunicar qualquer coisa que o afete, que afete o corpo ou seu ministério mesmo que não tenha vontade de fazê-lo.

Estimule a sinceridade no seu discípulo, falando de si mesmo, escutando e estando aberto a críticas.

Fale de si mesmo. Se você compartilha sinceramente suas próprias lutas, dores e desapontamentos, como também vitórias, sonhos e realizações, logo seu discípulo estará fazendo o mesmo. Se você errou, admita-o, mas sempre o faça focado na edificação do Reino e no fortalecimento do caráter do seu discípulo. Sua abertura demonstrará que você é dócil e confia nele. Inspirará comunicação sincera.

Faz alguns anos, Joana tinha uma amizade especial com um homem excelente. As pessoas julgavam que eles iriam se casar, mas Deus mostrou-lhes que não deveriam continuar o namoro. As alunas de Bíblia de Joana, adolescentes, estavam ansiosas para saber por que ela terminara o relacionamento e como se sentia. Mesmo que doloroso, Joana relatou os princípios que Deus havia ensinado e contou-lhes sua luta — a dor, a solidão e até mesmo o medo de permanecer solteira. As alunas maravilharam-se da sinceridade dela. Joana confiou nelas para que ministrassem à sua própria vida.

A transparência de Joana durante aquela crise demonstrou de forma poderosa seu amor às alunas. Isso fez que elas estivessem também livres para compartilhar suas lutas. Ao observarem como Deus agia na vida de Joana, tiveram certeza do poder dele para suprir as suas necessidades. Hoje, quatro delas são discípulas atuantes.

Não perca, porém, o respeito de seu discípulo ao compartilhar de modo destrutivo. Alguns cristãos imaturos tropeçam ou justificam seus erros em razão das falhas de seus líderes. Outros se tornam inseguros ou perdem a confiança no líder, se este se apresenta fraco. Se você tiver dúvida quanto a contar alguma coisa, consulte primeiramente aqueles que são seus líderes.

É injusto esperar que seu discípulo carregue uma quantidade exagerada de preocupações que pertencem a você. O exagero na comunicação, mesmo quando verdadeira e pura, pode fazer que seu discípulo se torne orgulhoso ou desanimado. Jesus falou a seus discípulos: "Tenho ainda muito que lhes dizer, mas vocês não o podem suportar agora" (Jo 16.12). Seja sensível à direção de Deus com relação a que e quanto compartilhar.

Escute. Quando o seu discípulo falar com você, preste atenção ao que ele tem a dizer. Sua atenção exclusiva prova que você se importa com ele. Se estiver preocupado com a forma de responder, em vez de escutá-lo de maneira atenciosa, você comunicará falta de interesse. Demonstre por meio de linguagem verbal e não-verbal que você o compreende. Faça perguntas que o sondem e o animem a se abrir. Mas não o interrompa. "Um homem sábio guarda a sua língua [...]" (Pv 10.14, *A Bíblia Viva*).

Esteja aberto à crítica construtiva. Demonstre que confia no seu discípulo permitindo que ele lhe faça críticas construtivas.

Escute atentamente quando o discípulo fizer críticas. Pondere sobre as ideias dele. Ele está numa posição singular para refletir suas virtudes e fraquezas, bem como esclarecer-lhe sobre como sua personalidade projeta coisas que você não deseja. Peça desculpas por seus erros e afirme o compromisso de procurar corrigi-los. Consulte periodicamente seu discípulo para verificar se a fraqueza para a qual lhe chamou a atenção está sendo corrigida. Agradeça-lhe o interesse. "É um distintivo de honra saber aceitar críticas justas" (Pv 25.12, *A Bíblia Viva*).

Mary Thiessen, nossa diretora para mulheres em Los Angeles, é uma professora muito bem dotada. Ela se esforça bastante por transmitir suas habilidades às discípulas, analisando o que elas ensinam. Mas recentemente uma de suas discípulas apresentou-lhe um problema: "Fico tão nervosa quando você me corrige que não consigo dar uma boa aula quando está por perto". Mary aceitou bem essa crítica construtiva e agora tempera suas sugestões para melhorias com elogio sincero por aquilo que seus discípulos realizam. A abertura de Mary fortaleceu o relacionamento.

A única qualificação quanto a fazer ou receber críticas é que ela deve ser responsável e sincera, e nunca destrutiva. Não façam brincadeiras duvidosas um com o outro. Não façam piadas nem tentem se livrar de alguma frustração à custa de outras pessoas. Jesus alertou: "[...] os homens haverão de dar conta de toda palavra inútil que tiverem falado" (Mt 12.36).

Se a crítica estiver carregada de emoção, separe um tempo para se encontrarem a fim de que ambos possam pensar a respeito da situação. Tiago ensina: "[...] Sejam todos prontos para ouvir, tardios para falar e tardios para irar-se [...]" (1.19).

Se resultarem conflitos no seu relacionamento por causa de opiniões ou preferências pessoais, ouça e discuta o problema. Seja gentil e flexível. A Bíblia diz: "Sobretudo, amem-se sinceramente uns aos outros, porque o amor perdoa muitíssimos pecados" (1Pe 4.8). Vocês podem permanecer unidos mesmo quando estiverem resolvendo diferenças entre si, se ambos estiverem buscando a vontade de Deus. Nunca desista por causa de "conflito de personalidade", como se tal problema fosse intransponível. As dificuldades no relacionamento nos purificam e afiam (Pv 27.17).

Quando seu discípulo souber que tem liberdade de corrigi-lo, ele escutará e atenderá à sua correção. O texto bíblico assevera: "Quem recusa a disciplina faz pouco caso de si mesmo, mas quem ouve a repreensão obtém entendimento" (Pv 15.32).

MOTIVAÇÃO

A motivação é o desejo que nos impele a ir ao encontro de nosso propósito. A motivação estimula seu discípulo a ser uma pessoa de Deus e a ministrar efetivamente e com alegria.

Recentemente, ao ser convidado a dirigir uma aula sobre discipulado num retiro de equipe, hesitei, com medo de entediar meus colegas. Eu vivo, respiro e como discipulado e achei que toda a nossa equipe estivesse igualmente motivada.

Quando, porém, os desafiei, fiquei surpreso com a reação deles. Muitas foram as pessoas que me disseram que precisavam daquela motivação. Algumas estiveram tão ocupadas em dar aulas bíblicas, atender às emergências e conduzir uma infinidade de outras atividades do ministério que tinham perdido a perspectiva de seu alvo. Precisavam de ajuda para ver como suas responsabilidades aparentemente materiais eram também vitais para o discipulado. Mesmo missionários de tempo integral podem ter sua visão ofuscada pela tirania da rotina. Todos nós precisamos de motivação constante que nos faça prosseguir para o alvo.

Sugiro quatro maneiras de motivar seu discípulo:

1. Direção. É necessário que haja direção em sua própria vida para que você possa conduzir seu discípulo. Paulo declarou: "Todavia, não me importo, nem considero a minha vida de valor algum para mim mesmo, se tão-somente puder terminar a corrida e completar o ministério que o Senhor Jesus me confiou, de testemunhar do evangelho da graça de Deus" (At 20.24). Os discípulos de Jesus viram que ele "partiu resolutamente em direção a Jerusalém (Lc 9.51). Se você estiver crescendo no conhecimento da Palavra e aplicando regularmente essa Palavra nas suas decisões diárias, seu discípulo será motivado a fazer o mesmo.

2. Visão. Anime regularmente a visão que seu discípulo tem do discipulado. Cristo fazia discípulos. E as pessoas eram o seu alvo. Seu discípulo precisa estar convencido de que "aquele que afirma que permanece nele, deve andar como ele andou" (1Jo 2.6). Mostre a seu discípulo que o treinamento que Paulo deu aos tessalonicenses resultou num ministério efetivo não só na Macedônia e Acaia, mas em todo lugar por onde iam (1Ts 1.7,8). Relembre ao discípulo que seu investimento de tempo precioso e energia nas outras pessoas produzirá também fruto abundante e permanente.

Nenhum homem sábio ignora o potencial explosivo de uma pessoa. Por meio de Adão, todos nós nascemos no pecado, mas mediante Cristo temos o potencial para uma nova vida (1Co 15.22). Ajude seu discípulo a manter em vista o alvo de fazer discípulos. "Onde não há revelação divina, o povo se desvia; mas como é feliz quem obedece à lei!" (Pv 29.18).

3. Confiança. Uma pessoa confiante é estável, inabalável sob pressão, porque descansa em um Deus imutável e coerente. Ajude seu discípulo a encontrar confiança em Cristo. Quando os apóstolos foram incapazes de curar o rapaz epilético, sua confiança na carne foi despedaçada, e eles se voltaram para Cristo (Mc 9). Não proteja seu discípulo de circunstâncias em que ele poderá ver sua insuficiência. Dê-lhe responsabilidades que o forçarão a confiar em Deus. A confiança dele crescerá à medida que ele observa que Deus honra sua fé. Se seu discípulo estiver ciente da presença e da obra do Cristo vivo na vida dele, a maturidade e o ministério cristãos serão resultados inevitáveis.

O mesmo Jesus que curou os enfermos, andou sobre as águas, ressuscitou os mortos e conquistou a morte prometeu que aqueles que nele creem farão obras ainda maiores (Jo 14.12). Ninguém pode ter maior confiança do que aquele que anda com Jesus.

4. Urgência. O ministério de reconciliação ganha urgência quando o discípulo reconhece que a rejeição do dom de Deus resulta em maldição eterna. Jesus exorta: "Enquanto é dia, precisamos realizar a obra daquele que me enviou. A noite se aproxima, quando ninguém pode trabalhar" (Jo 9.4). A compaixão pelos outros e o conhecimento da volta iminente de Cristo exigem que tenhamos pressa. Contudo, se esse senso de urgência for grande demais, seu discípulo poderá desanimar, achando que há tanto a ser feito tão rapidamente que sua contribuição se torna insignificante. As pessoas não conseguem desempenhar bem sob pressão constante e premente.

Jesus preservou um equilíbrio delicado, pedindo que seus discípulos agissem como se ele pudesse voltar a qualquer momento — enquanto os dirigia para a edificação de sua Igreja durante gerações. A urgência produzida por sua volta evitava a preguiça e a procrastinação entre os seus seguidores, que passaram então a edificar a Igreja, fazendo discípulos. Você também tem de transmitir um senso bem equilibrado de urgência que motive seu discípulo a agir sem deixá-lo paralisado diante da frustração.

Um relacionamento forte é inseparável do discipulado bem-sucedido. Supre a compreensão necessária da saúde espiritual do seu discípulo e proporciona uma base a partir da qual ele pode ser conduzido à reprodução. Dá-lhe a segurança para aceitar e a motivação para agir sobre aquilo que você lhe transmitiu. Além disso, é treinamento prático para sua futura experiência de conduzir outras pessoas. O discipulado cristão é relacional.

Lista de verificação do discipulador — *O discipulado é relacional*

Meu relacionamento com meu discípulo é caracterizado por:

- ☐ Calor humano — atitude amorosa e bondosa.
- ☐ Lealdade — compromisso coerente.
- ☐ Imparcialidade — atitude não-tendenciosa.
- ☐ Maturidade — andar constante e fiel com Deus.
- ☐ Disponibilidade — o máximo de acesso.
- ☐ Paciência — fé em ação.
- ☐ Sinceridade — comunicação aberta.
- ☐ Motivação — desejo que nos impele na direção do nosso propósito.

11
A dinâmica do discipulado

O interesse de seu discípulo em conhecer a Deus, sua disposição, submissão, fidelidade e visão indicam a prontidão para fazer-se discípulo. O caráter dele, semelhante ao de Cristo, e a relação que você tem com ele qualificam-no para torná-lo discípulo. Entretanto, sem outros elementos ele jamais se tornará produtivo. Será como um motor sem combustível ou um cata-vento sem brisa — grande potencial mas estático e dormente.

Para que a disposição de seu discípulo em frutificar se transforme na capacidade de reproduzir, seu ambiente espiritual tem de incluir diversos elementos. Se mesmo um estiver faltando, o treinamento do seu discípulo será deficiente. Esses elementos são a dinâmica do discipulado, os ingredientes que infundem energia. Uma vez que se tornem parte natural do discípulo, produzirão um caráter espiritual. Quando ele os entender tão bem que puder transmiti-los a outros, estará pronto para reproduzir. Você é responsável por transmitir-lhe essa dinâmica.

Embora o discipulado seja um encontro de vida com vida, vocês precisam combinar um tempo regular para se encontrarem semanalmente. Deixe que a personalidade de ambos determine a estrutura dos encontros e que as necessidades de seu discípulo ditem o conteúdo deles. Não espere, contudo, que somente esses encontros estimulem o crescimento. É de suma importância que haja experiências da vida real e interação pessoal.

ADORAÇÃO

O principal propósito do seu relacionamento é honrar e glorificar a Deus. Adoração é a atitude que expressa o amor, o temor e o respeito que você tem pelo Deus todo-poderoso. Seu exemplo ajudará o discípulo a apresentar toda a vida em adoração a Deus.

Deus não determinou uma forma rígida de culto que tivéssemos de seguir. Jesus ensinou: "E ninguém põe vinho novo em vasilha de couro velha; se o fizer, o vinho rebentará a vasilha, e tanto o vinho quanto a vasilha se estragarão. Ao contrário, põe-se vinho novo em vasilha de couro nova" (Mc 2.22). Como seu relacionamento com Deus é novo, diariamente você está livre para expressar amor e adoração a ele de modo que reflita o que sente.

Se você estiver preso a métodos tradicionais, sua adoração se tornará rançosa. Mas, se procura honrar e glorificar a Deus em tudo o que faz, sua mente e seu coração concentram-se nele e o Espírito de Deus lhe ensinará como adorar com espontaneidade e liberdade.

Adore regularmente com seu discípulo. Vocês podem ler, citar ou cantar as Escrituras. Podem tomar refeições com outros cristãos com alegria. Podem orar, meditar, compor canções ou poemas que falem de seu regozijo, bater palmas, tocar um instrumento ou simplesmente inclinar a cabeça em humilde adoração.

Katie e eu esperávamos apenas um filho quando nasceram Joshua e Paul. Ainda que eu louvasse a Deus com palavras por meus filhos, acho que a maior expressão de adoração foi meu sorriso. Dizem que ficou estampado em meu rosto por dias. Em apreciação a Deus, por quem ele é e pelo que ele fez por você, a alegria deve transpirar de sua vida como o perfume de uma flor.

Deus está muito mais interessado na sinceridade de seu culto a ele que na forma com que o faz. Não existe mágica no simples dizer "louvado seja Deus". Se seu espírito e estilo de vida não estiverem sintonizados com suas palavras, "Deus seja louvado" torna-se apenas conversa-fiada ou até mesmo blasfêmia, tomar o nome de Deus em vão. Não caia na armadilha farisaica de obedecer à letra da lei enquanto despreza o espírito dela.

Quando sua adoração for guiada pelo Espírito, ela será uma resposta que glorifica a Deus (1Co 10.31), fortalece o corpo de Cristo (1Co 14.3,12) e edifica você e seu discípulo (1Co 10.23).

MINISTÉRIO

Ministrem um ao outro. Animem um ao outro com as Escrituras. Regozijem-se com suas vitórias. Compartilhem fardos e confessem pecados um ao outro. Depois, orem especificamente sobre essas coisas, pedindo a Deus a cura e o perdão.

Orar um pelo outro deve tornar-se parte normal da vida de ambos. Jesus rogou ao Pai em favor de seus discípulos: "Não rogo que os tires do mundo, mas que os protejas do Maligno. Eles não são do mundo, como eu também não sou. Santifica-os na verdade; a tua palavra é a verdade" (Jo 17.15,17). Paulo disse a Timóteo: "[...] [lembro-me] constantemente de você, noite e dia, em minhas orações" (2Tm 1.3) e implorou aos efésios que orassem "também por [ele]" (Ef 6.19).

A vitalidade de seu relacionamento depende das orações que vocês façam um pelo outro. Orem pela proteção de cada um (1Co 13.7) e pelo crescimento (Cl 1.9,10). Peça a Deus direção enquanto você aconselha seu discípulo e procura identificar suas necessidades. Tiago nos anima: "Se algum de vocês tem falta de sabedoria, peça-a a Deus, que a todos dá livremente, de boa vontade; e lhe será concedida" (Tg 1.5).

O tempo para ministrar um ao outro é indispensável. Quando estávamos iniciando nosso trabalho, eu frequentemente cumprimentava minha equipe com uma série de perguntas sobre o ministério. Minha obsessão em atingir os outros e suprir as necessidades de um mundo sofrido ofuscava minha preocupação pelo bem-estar espiritual dos meus discípulos. Eu simplesmente presumia que eles estivessem sendo vitoriosos em sua vida pessoal.

Infelizmente, se eles estivessem lutando com uma fraqueza ou um pecado que ainda não tivesse sido enfrentado, as horas que passávamos juntos eram improdutivas. É muito fácil sucumbir à ideia de *fazer* antes de *ser*. O caráter e as necessidades de meus discípulos são agora prioridade muito maior do que seu ministério. Os momentos que vocês passarem juntos devem servir para consolidar e edificar a ambos.

MEMORIZAÇÃO

A memorização das Escrituras está tornando-se uma prática esquecida entre os cristãos. Contudo, a Bíblia insiste frequentemente em que os cristãos tenham a Palavra de Deus neles (Pv 7.1). Moisés insistiu com o povo de Israel para que guardasse a Palavra de Deus no coração (Dt 6.6). A memorização das Escrituras é nossa melhor defesa contra o pecado (Sl 119.11). Quando Jesus foi tentado por Satanás, o Espírito de Deus trouxe-lhe à memória sua Palavra e proporcionou poder imediato e sustentador (Lc 4.4-12).

A memorização das Escrituras é um aliado valiosíssimo para moldar de um caráter semelhante ao de Cristo. É a base para o conselho sábio e para a correção. Uma discípula estava incapacitada pela insegurança e imaturidade provenientes da rejeição e zombaria sofridas durante a infância. De todo o coração, ela queria que Deus a libertasse do ódio de si mesma, mas parecia não conseguir paz interior e autoaceitação. Então sua instrutora começou a memorizar com ela os versículos bíblicos que falam dos atributos de Deus. Semana após semana, recapitulavam essas passagens. Em alguns meses, a Palavra de Deus produziu nela uma nova profundidade de santidade, maturidade e segurança.

A memorização de passagens bíblicas gravará a vontade de Deus no coração do discípulo (Sl 37.31). Facilitará a adoração e a comunhão (Ef 5.19). Memorize um ou dois versículos com seu discípulo cada semana e recapitule outros que vocês já tenham aprendido. Orem um pelo outro repetindo um dos versículos memorizados. Você e seu discípulo devem atentar para Colossenses 3.16: "Habite ricamente em vocês a palavra de Cristo [...]".

MEDITAÇÃO

Meditação é o esforço para conscientizar-se de Deus, uma percepção constante a respeito dele por intermédio da reflexão e devoção (Sl 1.2). É consequência natural do nosso amor à Palavra de Deus (Sl 119.47). A meditação coloca-nos na presença de Deus, produzindo paz, confiança e calma que só podem ser encontradas nele.

Certa noite, quando eu estava em Midwest, Mary Thiessen telefonou-me de Los Angeles. Alguns membros de uma quadrilha tinham-na ameaçado de estupro e morte. Eu queria voltar imediatamente para confortá-la e assegurar-lhe proteção, mas era impossível. Disse-lhe então que por meditar na palavra *Emanuel*, "Deus conosco", eu havia encontrado paz em muitas ocasiões, e ela poderia fazer o mesmo.

Mary conta que nos dias que se seguiram ela pensou constantemente no fato de que Deus está conosco e, finalmente, experimentou o que era paz. Mesmo agora, quando enfrentamos perigo, meditar em "Deus conosco" traz calma e confiança.

Ao refletir na Palavra de Deus, Jeremias transformou sua amargura e solidão em alegria (Lm 3.18-23). Meditamos na Palavra de Deus para que possamos "compreender a largura, o comprimento, a altura e a profundidade, conhecer o amor de Cristo que excede todo conhecimento" (Ef 3.18,19).

Ensine a seu discípulo que, se ficar pensando nos seus temores e nas circunstâncias, ele terá preocupação e ansiedade, ao passo que, se meditar, estará focalizando sua mente em Deus, que é sua força (Sl 4.1). Como somos profundamente influenciados pelo que pensamos, a meditação produzirá obediência (Sl 119.15) e alegria (Jr 15.16).

Medite num versículo que você tenha memorizado. Sugiro dois modos que o auxiliarão a começar a meditar com seu discípulo.

1. Pergunte sobre aplicações do versículo:

O que este versículo me diz sobre Deus?

Que outra verdade este versículo me ensina?

Existe um hábito que eu tenha de interromper ou uma prática que eu deva iniciar, baseado nele?

2. Repita em voz alta, várias vezes, um versículo que você tenha memorizado. A cada vez, destaque uma palavra ou frase diferente. Por exemplo, em João 15.16:

> **Eu** os escolhi para irem e darem frutos
> Eu **os** escolhi para irem e darem frutos
> Eu os **escolhi** para irem e darem frutos
> Eu os escolhi **para irem** e darem frutos
> Eu os escolhi para irem e **darem** frutos
> Eu os escolhi para irem e darem **frutos**

Desfrute a verdade e a nova compreensão que cada leitura traz ao versículo. Troquem ideias.

ENSINO

Cristo instruiu seus discípulos para que ensinassem as pessoas "a observar *tudo*" que ele tinha ordenado. Paulo ensinou "toda a vontade de Deus" (At 20.27). Ele escreveu: "Nós o proclamamos, advertindo e ensinando a cada um com toda a sabedoria, para que apresentemos todo homem perfeito em Cristo" (Cl 1.28).

Ensine a Bíblia a seu discípulo. Depois que Jesus "lhes abriu o entendimento, para que pudessem compreender as Escrituras" (Lc 24.45), ele instruiu os discípulos a apascentarem as ovelhas dele (Jo 21.15-17). O que poderá alimentar mais do que a Palavra "viva e eficaz" de Deus? (Veja Hb 4.12.) Nela, Deus se revela e revela sua vontade ao homem (Pv 2.1-5). Aproxime-se da Palavra com a mesma atitude do salmista: "Abre os meus olhos para que eu veja as maravilhas da tua lei" (Sl 119.18).

Suas lições devem ser práticas e exatas. Ensine sistematicamente princípios e doutrina das Escrituras que auxiliem seu discípulo a chegar à maturidade em Cristo. Ele deve ter um conhecimento *atuante* das Escrituras para que possa aplicar a verdade bíblica de modo coerente.

Jesus era um comunicador por excelência. Ele ensinou com autoridade (Mt 7.29), e as pessoas ouviam-no "com prazer" (Mc 12.37). Alguns exclamaram: "[...] Não estava queimando o nosso coração, enquanto ele nos falava no caminho e nos expunha as Escrituras?" (Lc 24.32).

Para estimular o aprendizado do seu discípulo, você tem de estar bem preparado e deve observar os seguintes princípios de ensino.

Seja criativo. Jesus combinou de modo muito habilidoso mensagens formais com conversas informais. Ele fez palestras e propôs debates usando exemplos da vida real, como moedas, lírios, sementes, terra, para ilustrar profundas verdades. Como os discípulos poderiam esquecer a lição de Cristo a respeito do poder e da fé quando ele amaldiçoou a figueira (Mt 21.19)?

A *variedade* ajuda a manter o interesse. Alterne entre estudar um livro e um tema. Mude periodicamente o lugar em que vocês se encontram. De vez em quando, permita que seu discípulo lhe ensine. Isso o ajudará a compreender os princípios mais completamente e o equipará para ensinar outros. Também permitirá que você avalie a compreensão dele acerca do assunto.

Envolva seu discípulo naquilo que vocês estão estudando. Ele aprenderá melhor como estudar se o fizer com você, em vez de simplesmente escutar uma palestra ou tentar aprender sozinho. Ressalte os princípios bíblicos e as aplicações práticas que vocês fazem juntos. Ele precisa ver que você tem tanta fome das coisas que está ensinando quanto espera que ele tenha.

Repita lições ou princípios importantes. Paulo disse: "[...] Escrever-lhes de novo as mesmas coisas não é cansativo para mim e é uma segurança para vocês" (Fp 3.1). Pedro declarou: "Por isso, sempre terei o cuidado de lembrar-lhes estas coisas, se bem que vocês já as sabem e estão solidamente firmados na verdade que receberam" (2Pe 1.12).

Seja flexível. Você tem de manter um equilíbrio delicado entre suprir as necessidades imediatas do seu discípulo e ter uma estratégia fixa de ensino. Isso pode ser feito mediante a aplicação das lições do dia às necessidades do seu discípulo.

Ensine seu discípulo a pensar. Quando seu discípulo se tornou nova criação em Cristo, Deus renovou-lhe a mente (1Co 2.12). Agora, Deus requer que ele empregue suas faculdades regeneradas. Paulo exorta: "Não se amoldem ao padrão deste mundo, mas transformem-se pela renovação da sua mente, para que sejam capazes de experimentar e comprovar a boa, agradável e perfeita vontade de Deus" (Rm 12.2).

Cristo ensinou seus discípulos a pensar forçando-os a chegar às suas próprias conclusões. Ele fazia perguntas que estimulavam a descoberta por si mesmos. Muitas vezes, ele respondia às perguntas com outras perguntas. O ensino dele por meio de parábolas levava-os a ponderar o significado das palavras do Mestre.

Ensine seu discípulo a pensar, encorajando-o a empregar métodos de descoberta no estudo bíblico. Dirija-o a um trecho bíblico e deixe que ele procure avidamente as verdades ali contidas. Faça perguntas ou dê sugestões que apontem o caminho. Parafraseie as perguntas que ele faz e pergunte o que ele acha. Nunca responda a uma pergunta a que ele mesmo não tenha tentado responder. Ele aprenderá princípios bíblicos muito melhor se os descobrir por si mesmo do que se lhe for dada uma resposta padronizada ou uma fórmula provada por você.

Por exemplo, se Fred Stoesz, nosso diretor de homens em Los Angeles, me perguntasse se Thuan ou Charles deve dirigir um relacionamento de discipulado com um novo membro de equipe, eu lhe diria que estudasse 1Timóteo 3. Depois, faria várias perguntas: Quem está mais bem equipado para treinar esse moço? Quem tem mais tempo disponível? Existem outras pessoas que poderiam ajudar mais a esse novo membro da equipe? Quem você acha que seria a melhor escolha? Por quê? Em geral, Fred chega à solução correta por si mesmo.

Anime o seu discípulo a escrever-lhe tanto quanto ele quiser. A comunicação escrita promove exatidão e clareza, capacitando-o a pensar por meio de suas perguntas e necessidades. Pouco a pouco, ele encontrará exatamente sua área de necessidade ou descobrirá por si mesmo as respostas enquanto escreve.

Ensine seu discípulo a tomar decisões. Jesus insistiu para que as decisões de seus discípulos fossem baseadas na vontade de Deus. Quando os discípulos receberam a vontade de Deus por meio de suas palavras (Jo 14.24), estavam preparados para tomar decisões (Jo 17.8).

Como o processo de tomar decisões do discípulo é baseado na vontade e na Palavra de Deus, difere essencialmente do método egoísta e mundano. Ensine a seu discípulo que, para evitar decisões erradas que possam prejudicar a causa de Cristo, ele deve responder a quatro perguntas:

1. *Quais são as alternativas?* Seu discípulo deve avaliar objetivamente todas as opções possíveis conversando com aqueles que conhecem os fatos e com os que serão afetados pela decisão. Ele precisa de dados suficientes para decidir com sabedoria. Provérbios 15.28 diz: "O justo pensa bem antes de responder [...]". Decisões de última hora, feitas sob pressão, em geral nada mais são que conjecturas.

2. *Quais são os princípios aplicáveis?* Como seu discípulo tem o compromisso de fazer a vontade de Deus, nenhuma decisão deve contradizer um princípio bíblico. Um pensamento maduro baseado na Palavra de Deus levará a decisões tomadas de forma confiante e a ações que exaltem Cristo.

3. *Quais são as implicações?* Seu discípulo deve examinar os possíveis efeitos de longo alcance que essa decisão acarretará. Um pouco de prevenção e prudência pode evitar muitos erros e tristezas.

4. *Qual o conselho de seus líderes?* Uma vez que seu discípulo tenha pensado nas alternativas, nos princípios e nas implicações, ele deve apresentá-los a você. Orem e estudem juntos a Palavra de Deus procurando sua direção. Seu discípulo deve "[fazer] todo o esforço para conservar a unidade do Espírito pelo vínculo da paz" (Ef 4.3). Como a cooperação no corpo é o que preserva a unidade, as melhores decisões são tomadas em conjunto com aqueles que exercem autoridade sobre a pessoa. Ao buscar conselho, ele será ajudado a evitar tomar decisões que pareçam construtivas, mas que possam ferir outros por desconhecer alguns fatores importantes. Cada situação é diferente e exige oração específica e direção.

Deixe-me ilustrar como isso funciona. Suponhamos que você faça parte de nossa equipe e acabou de ter um mês de ministério particularmente exaustivo. Seus líderes planejaram um retiro para a equipe descansar. Então, quando estão prestes a sair, você recebe um telefonema dizendo que a casa de um dos membros do seu grupo de estudo bíblico pegou fogo e foi destruída.

Sua reação imediata pode ser perder o retiro a fim de ajudar a família. Mas, como cristão, você tem de tomar a decisão à luz daquilo que é mais edificante para o Reino e o corpo. Decisões importantes como esta exigem pensamento e ação bem delineados, e não apenas uma resposta emotiva. Vamos aplicar nosso processo de quatro passos para se tomar uma decisão quanto a esta situação:

1. *Quais são as alternativas?* (a) Faltar ao retiro e ajudar a família; (b) Ajudar a família e procurar uma folga mais tarde; (c) Ignorar, adiar ou delegar a responsabilidade de ir ao encontro da necessidade da família do grupo.

2. *Quais os princípios bíblicos aplicáveis?* (a) Salmos 46.1 nos ensina que a força do cristão se encontra em Deus; (b) Marcos 6.31 reconhece que os cristãos precisam ter suas forças renovadas pelo descanso; (c) Tiago 2.15,16 nos instrui a nos dispormos a suprir as necessidades do nosso próximo.

3. *Quais são as implicações?* (a) Se faltar ao retiro, você pode impedir sua efetividade por desprezar uma profunda necessidade de pensar em Deus e ter refrigério; (b) Se você tentar uma folga mais tarde, talvez tenha de cancelar muitas atividades do ministério que já estejam planejadas. Isso poderia ferir outras pessoas ou negar o que você ensina sobre fidelidade; (c) Se você ignorar a necessidade dessa família, pode ferir seu relacionamento com eles e perder uma imensa oportunidade de demonstrar o amor cristão.

4. *Qual o conselho de meus líderes?* Se minha direção fosse procurada numa situação dessas, em que há duas prioridades conflitantes, eu reveria as alternativas e consideraria as implicações de cada uma delas à luz de nossas prioridades: primeiro Deus, o corpo de Cristo em segundo lugar, o ministério em terceiro. Quanto, realmente, você precisa agora dessa folga? Você poderia sair depois com alguns outros membros da equipe sem colocar em risco seu ministério? Existe outra pessoa que poderia atender a essa necessidade tão bem quanto você e que sofreria menos por perder o retiro nessa ocasião?

Depois de fazer essas considerações e quaisquer outras perguntas aplicáveis, entregaríamos a decisão ao Senhor em oração e creríamos que o Espírito de Deus revelaria sua vontade perfeita, confirmando-a a nós. Ao buscar conselho para se tomar uma decisão, obtém-se sabedoria e unidade.

Quando seu discípulo toma decisões à luz do bem do Reino e do Corpo, ele não apenas está respeitando a saúde de toda a comunidade, como também pode ter confiança de que terá a melhor direção para sua vida.

Quando Cristo deixou este mundo, seus discípulos conheciam a Palavra de Deus e sabiam pensar e tomar decisões. Certifique-se de que seu discípulo tenha aprendido essas lições essenciais.

CORRIJA FRAQUEZAS

Uma das coisas mais difíceis para mim, no início do meu ministério, era corrigir outra pessoa. Eu temia a rejeição e tinha medo de que pudesse estar errado. Um antigo pregador mudou minha perspectiva, dizendo: "Você é apenas uma boca. Não dê suas opiniões ou sugestões. Se você não puder dizer 'Assim diz o Senhor', então não o diga. Mas, se a Bíblia declara uma coisa e você tem medo de dizê-la, então você não ama a pessoa".

Inevitavelmente, haverá áreas na vida de seu discípulo que ainda não estarão conformes à imagem de Cristo. Você é responsável por expor essas fraquezas e lidar com elas (Gl 4.19). Você será tentado a racionalizar: "Ele teve uma vida difícil" ou "Isso é apenas parte de sua personalidade". Entretanto, você deve amar seu discípulo suficientemente para tentar corrigir suas fraquezas. Sugerimos o seguinte processo com esse propósito:

Identifique suas fraquezas. Observe cuidadosamente seu discípulo e escute o que ele diz. Ele é a maior fonte de informação quanto às necessidades que tenha ou quanto ao seu bem-estar espiritual.

Faça perguntas que o auxiliem a expressar como está indo e quais são suas necessidades. Concentre-se em sua vida, no tempo que ele dedica à Palavra e no seu relacionamento com as outras pessoas. Observe como ele se relaciona com as pessoas que exercem autoridade sobre ele, com sua família, com os estranhos, com o sexo oposto e com seus amigos.

Observe como os outros veem seu discípulo. Escute os comentários feitos a seu respeito. Ele é respeitado? Confiável? Amável? Verifique se ele tem feito as tarefas de escrita e de memorização. Tudo isso deve ser feito em amor, mas com um olhar cuidadoso para as áreas carentes.

Confronte seu discípulo. Uma vez que tenha identificado uma fraqueza, converse com ele a respeito dela. Ame-o o bastante para confrontá-lo. Deus diz: "Repreendo e disciplino aqueles que eu amo [...]" (Ap 3.19). Se seu discípulo estiver se afastando da vontade de Deus, tenha coragem para chamá-lo de volta ao caminho correto. Paulo exortava, consolava e admoestava "como um pai trata seus filhos" (1Ts 2.11). Se você for fraco ou estiver intimidado pela rebeldia de seu discípulo, o treinamento dele será deficiente.

Seu discípulo reagirá positivamente ao confronto se você for firme, mas amoroso. Paulo disse a Timóteo: "Pregue a palavra, esteja preparado a tempo e fora de tempo, repreenda, corrija, exorte com toda a paciência e doutrina" (2Tm 4.2). Mas disse também a Tito: "[...] repreenda-os severamente, para que sejam sadios na fé." (Tt 1.13).

Paulo foi manso, mas direto quando desafiou Timóteo quanto à sua timidez (2Tm 1). Paulo começa afirmando seu amor a Timóteo (v. 1-4) e recordando detalhes de seu relacionamento (v. 5,6). Então, baseado nessa intimidade, ele exorta ousadamente Timóteo em sua falta: "Pois Deus não nos deu espírito de covardia, mas de poder, de amor e de equilíbrio. Portanto, não se envergonhe de testemunhar do Senhor, nem de mim, que sou prisioneiro [...]" (v. 7,8).

Sempre tenha como base do seu confronto a Palavra de Deus e a autoridade de Jesus Cristo. Então, você pode ter a ousadia e a confiança de Cristo quando confrontou Pedro: "[...] Para trás de mim, Satanás! Você não pensa nas coisas de Deus, mas nas dos homens" (Mc 8.33). Paulo escreveu: "[...] Agora lhes pedimos e exortamos no Senhor Jesus [...]" (1Ts 4.1)

Mostre a seu discípulo os princípios bíblicos que expõem atos e hábitos pecaminosos. Isso estabelecerá que é a Palavra de Deus, e não sua opinião ou experiência, a base para a correção.

Contudo, não confronte seu discípulo toda vez que você se encontrar com ele. Faz algum tempo, notei essa minha tendência. Em razão da amplitude de nosso ministério, havia alguns membros de nossa equipe a quem eu pouco via. Quando os via, era porque tinham um problema sério que exigia minha atenção pessoal. Depois de certo tempo, uma coisa muito natural acontecia. Quando alguém lhes dizia que Keith queria falar com eles, ficavam ansiosos e cheios de culpa. Esse temor era semelhante ao do cristão romano que recebesse um convite para se apresentar no Coliseu, em vez de se encontrar com um irmão amado que se preocupava com ele. Ninguém deseja ter um relacionamento baseado em confrontos.

Mantenha equilíbrio entre confronto e encorajamento. Elogie o discípulo pelo crescimento que tem tido e pela aplicação dos princípios de Deus. Mostre-lhe como você tem sido abençoado com sua ministração. Ele precisa desse tipo de afirmação.

Uma vez que tenha confrontado o discípulo, estudem juntos a Bíblia para encontrar a qualidade que precisa ser desenvolvida na vida dele ou ajude-o a descobrir por si mesmo o padrão.

Orem juntos. Só Deus pode transformar uma vida (1Co 3.6). Paulo rogou a seus amigos: "[...] se unam a mim em minha luta, orando a Deus em meu favor" (Rm 15.30). Jesus prometeu: "Também lhes digo que se dois de vocês concordarem na terra em qualquer assunto sobre o qual pedirem, isso lhes será feito por meu Pai que está nos céus" (Mt 18.19). Em oração, façam um compromisso de transformar essa fraqueza em força.

Desenvolva uma estratégia. Uma estratégia é uma série de passos que levarão seu discípulo a atingir o alvo. Esses passos devem ser específicos, claramente definidos e factíveis. Sugiro três elementos vitais que precisam ser incluídos em toda estratégia para eliminar a fraqueza.

1. *Estudo bíblico*. Muitos não estudam a Bíblia porque ela os repreende. Mas a mudança vem "pela consolação das Escrituras" (Rm 15.4). Deus abençoa ricamente aqueles que a ele obedecem.

George era um membro de nossa equipe que frequentemente entregava com atraso seus relatórios. Seu líder explicou os atropelos que isso causava, mas George nada fez acerca dessa fraqueza até que estudou a respeito da fidelidade nas pequenas coisas. Isso mudou sua atitude. O estudo de trechos que falem diretamente ao problema tem de ser incluído na estratégia.

2. *Modelos positivos*. Seu discípulo aprenderá a seguir a Cristo observando você e outros líderes cristãos que sejam exemplos para o rebanho (1Pe 5.1-3). Paulo exorta os filipenses a imitá-lo: "Irmãos, sigam unidos o meu exemplo e observem os que vivem de acordo com o padrão que lhes apresentamos" (Fp 3.17). Bons exemplos de vida cristã demonstrarão que é possível ao discípulo obedecer a Deus na área de sua fraqueza. Ele precisa ser exposto

à característica de que necessita. O exemplo é poderosíssimo agente de transformação.

3. *Aplicação prática*. Tiago 1.22 nos exorta: "Sejam praticantes da palavra, e não apenas ouvintes [...]". Seu discípulo crescerá mediante a aplicação prática e específica. Envolva-o em atividades que o ajudem a corrigir-se em sua fraqueza. Por exemplo, ele aprenderá a qualidade de servir fazendo a limpeza após uma reunião. Ele não deverá participar de atividades que impeçam que ele amadureça e vença a área de fraqueza. Dirigir um estudo bíblico, por exemplo, pode alimentar seu orgulho e ser contraproducente. Seu discípulo tem de ver essa estratégia como dele, e não algo imposto sobre ele. Incorpore suas ideias sempre que possível. Afirme que você o auxiliará e animará a seguir esse plano.

Considere-o responsável. Mesmo que esse seja um processo longo, é um excelente investimento de tempo. Se seu discípulo entende os princípios e sabe aplicá-los, estará bem equipado para lidar com futuras fraquezas na sua vida e na daqueles a quem ele conduzirá. Igualmente importante, esse processo comprovará seu amor por ele e reforçará a confiança dele em você como alguém que busca a vontade de Deus em toda decisão que toma. Como a confiança é fundamental para a submissão, desta forma ao lidar com as fraquezas de seu discípulo, você o ajudará a submeter-se em alegria à autoridade de Deus.

DESENVOLVA SEUS PONTOS FORTES

Você é responsável por cultivar os pontos fortes de seu discípulo para promover seu crescimento e desenvolver os talentos dados por Deus.

Primeiro, certifique-se de que as aparentes qualidades de seu discípulo não são fontes de orgulho. Se forem motivos de orgulho, enfrente-as como fraquezas. Depois, desenvolva uma estratégia para aprimorar seus pontos fortes. Essa estratégia precisa incluir estudo bíblico, modelos positivos e aplicação prática, como já falamos. Será ideal se você puder planejar algo que corrija uma fraqueza e desenvolva um ponto forte simultaneamente.

Ruth era fraca em organização, mas forte em serviço. Assim, demos a ela a responsabilidade de supervisionar as refeições para nossa equipe de Los Angeles. Isso incluía o planejamento das refeições, a organização das compras e a atribuição dos cozinheiros. Sua atitude de serva motivava os outros a fazerem as tarefas. Isso a fortaleceu. Ruth tornou-se boa organizadora, corrigindo sua falha. Em resposta à sua oração, Deus lhe dará discernimento para que você perceba pontos fortes que precisam de desenvolvimento no seu discípulo.

Ao terminar qualquer plano, avalie a eficácia do seu discípulo. Pergunte-lhe o que foi que deu certo. Por que deu certo? O que não deu certo? Por quê? Como melhorar? O que foi realizado?

Além da avaliação do plano, examine novamente e discuta seus alvos de discipulado. Seu discípulo foi meticuloso? Pontual? Organizado? Criativo? Sabe delegar bem? Foi sensível e edificante aos demais? Tomou iniciativas? O que ele aprendeu? Finalmente, encoraje e elogie seu discípulo. Então, quando outra tarefa mais difícil surgir, faça-lhe o elogio máximo — delegue-a a ele.

Lista de verificação do discipulador — *A dinâmica do discipulado*

Asseguro-me de que o ambiente espiritual do meu discípulo inclua:

- [ ] Adoração — atitude que expresse nosso amor, temor e respeito pelo Deus todo--poderoso.
- [ ] Ministério — construir e edificar um ao outro.
- [ ] Memorização — guardar a Palavra de Deus no coração.
- [ ] Meditação — procurar conscientizar-se de Deus.
- [ ] Ensino:
  - [ ] da Bíblia;
  - [ ] como pensar;
  - [ ] como tomar decisões.
- [ ] Correção de fraquezas.
- [ ] Desenvolvimento dos pontos fortes.

12
O padrão do discípulo: excelência

Os ensinamentos de Cristo têm sido interpretados de modos variados — da ética idealista às ordens legalistas. Mas não importa como os outros entendam o ensino dele, ao estudar a vida de nosso Senhor, vemos claramente que ele esperava que seus discípulos *praticassem* aquilo que lhes ensinou.

Jesus exigiu excelência em tudo o que seus discípulos faziam. Sua ênfase principal no Sermão do Monte, como em todas as suas instruções, estava sobre a justiça ou retidão — essa característica interior que fornece a base para toda a conduta exterior. Ele ensinou a seus discípulos: "Portanto, sejam perfeitos como perfeito é o Pai celestial de vocês" (Mt 5.48). Na parábola do semeador, Jesus revelou seu desígnio de que o fruto chegasse à perfeição (Lc 8.4-15). A avaliação que a multidão fez de sua vida e ministério confirmou a própria dedicação de Cristo à excelência: "[...] Ele faz tudo muito bem [...]" (Mc 7.37).

Deus é excelente, e tudo o que ele faz é esplêndido (Sl 119.68). Seu discípulo precisa entender que, como filho de Deus, tem de refletir em todo o seu ser a excelência do Pai. Deus exige que sejamos aperfeiçoados em todo bem (Hb 13.21).

Uma pessoa pode ficar desanimada se acreditar que esse nível de desempenho que se espera está muito acima de suas capacidades. Contudo, os dons divinos de graça e poder acompanham as exigências de Deus. Porque Cristo está em você (Cl 1.27), a santidade é atingível.

Certa manhã de inverno, levei uma xícara de café quente comigo enquanto eu dirigia meu carro até o escritório. Tinha conseguido manobrar até a estrada de rodagem sem derramar uma gota. De repente, o motorista à minha frente freou. Eu desviei para evitar um acidente. O café escaldou-me a mão e redecorou o interior do carro.

Por que o café derramou? Porque o homem à minha frente freou de repente? Não, o café derramou da xícara porque estava nela. Aquilo que estivesse na xícara teria de cair quando sacudido.

O mesmo acontece com o nosso comportamento. Quando somos sacudidos, a verdadeira pessoa surge. Se outro motorista toma seu lugar no estacionamento e sua reação é xingar, você racionaliza: "Se aquele motorista não tivesse tomado o meu lugar, eu não xingaria"? O discípulo sabe que, se a hostilidade e a linguagem profana não estivessem lá dentro, não sairiam.

Se uma moça vestida de modo provocante passa na sua frente e você tem desejos lascivos, você diria: "Se ela não estivesse ali, eu não teria cobiçado"? Um discípulo sabe que, se não houvesse a lascívia lá dentro, ele não a teria cobiçado. Se Cristo estiver em você quando for sacudido, a justiça sobressairá (Rm 8.10).

Discipulado é reproduzir no outro sua experiência do envolvimento com Cristo em sua vida. Para transmitir fielmente um caráter espiritual a outras pessoas, seu discípulo terá de entender e almejar o padrão de excelência de Deus.

Paulo demarcou para Timóteo as cinco áreas que revelam se o discípulo está refletindo acertadamente seu Deus e Pai. Ele escreveu: "Ninguém o despreze pelo fato de você ser jovem, mas seja um exemplo para os fiéis na palavra, no procedimento, no amor, na fé e na pureza" (1Tm 4.12).

PALAVRA

A maneira de seu discípulo falar é um instrumento preciso para medir sua saúde espiritual porque reflete seu caráter. "Se alguém se considera religioso, mas não refreia a sua língua, engana-se a si mesmo. Sua religião não tem valor algum!" (Tg 1.26).

Certa manhã, eu estava conversando com um pastor na intimidade do seu escritório. Para minha surpresa, ele contou uma piada suja, cheia de linguagem impura. Sem refletir por um instante sequer, minha admiração por esse homem afundou por completo. Instintivamente, eu sabia que suas palavras refletiam seu coração e que esse homem estava lutando contra a impureza e a imaturidade. Lucas 6.45 nos ensina que "a boca fala do que está cheio o coração". Um coração puro produz pensamentos corretos que nos capacitam a falar de modo que agrada a Deus.

Deus espera que seu discípulo controle a língua. "[...] Se alguém não tropeça no falar, tal homem é perfeito, sendo também capaz de dominar todo o seu corpo" (Tg 3.2).

Tiago usa a ilustração de andar a cavalo para mostrar que ao falharmos em uma parte pequena, aparentemente insignificante, perdemos o controle do todo. O cavaleiro bem treinado sabe exatamente como e quando frear aplicando a pressão certa ao freio. Mas um cavaleiro que solta as rédeas fica totalmente sem controle.

O cristão que não controla a língua corre sério risco: a língua "contamina a pessoa por inteiro, incendeia todo o curso de sua vida, sendo ela mesma incendiada pelo inferno" (Tg 3.6). Uma língua sem controle expressa o orgulho pela vanglória; instiga ao mal moral por meio de histórias picantes, humor negativo ou insinuações racistas; hipocritamente, ela bendiz a Deus enquanto amaldiçoa o homem, criação divina. O Salmos 34.13 nos aconselha: "Guarde a sua língua do mal e os seus lábios da falsidade".

No entanto, Tiago 3.8 alerta que *nenhum homem* consegue controlar sua língua. Contudo, o Espírito Santo pode domar a língua do seu discípulo para que toda palavra que ele diga glorifique a Deus e edifique os outros. Romanos 14.19 nos encoraja a promover "tudo quanto conduz à paz e à edificação mútua".

Nem sempre a sinceridade é edificante. A verdade pode ser terrivelmente destrutiva. Seu discípulo terá de depender totalmente da direção do Espírito para edificar os outros sem comprometer a verdade. Ele precisará corrigir outros sem diminuir a disposição deles de aprender. Ele será chamado a estimular um padrão de excelência sem frustrar a motivação de se esforçar. Espera-se dele que carregue os fardos de outros, em simpatia, sem fomentar a autopiedade. A efetividade de seu investimento nos outros será fortemente determinada por sua capacidade de dizer a verdade em amor. "[...] o amor edifica" (1Co 8.1).

Você e seu discípulo devem orar: "Que as palavras da minha boca e a meditação do meu coração sejam agradáveis a ti, Senhor, minha Rocha e meu Resgatador"(Sl 19.14)

CONDUTA

O comportamento de seu discípulo deve produzir respeito ao Cristo que habita nele. Ele deve "se [abster] dos desejos" (1Pe 2.11,12). Seu amor interessado nas pessoas e sua sensibilidade pelos outros atrairão pessoas a Cristo (1Co 9.19-23). Isso só pode acontecer à medida que ele se revestir do seu novo ser, "criado para ser semelhante a Deus em justiça e em santidade provenientes da verdade" (Ef 4.24).

Para desenvolver a excelência no seu discípulo, você precisa ajudá-lo a viver segundo as prioridades. Ele terá de dizer "não" a certas coisas aparentemente boas que não se encaixam no seu propósito e objetivo, que não o ajudam a atingir seu alvo de fazer discípulos. Satanás usa com frequência uma abundância de oportunidades para desviar-nos, sabendo que, se seu discípulo tentar fazer coisas demais, a mediocridade caracterizará todas elas. Manter os olhos no alvo permitirá que ele se concentre em desempenhar tudo bem.

Depois de seu relacionamento com Deus, vem a obrigação para com a família. Um querido amigo meu era constantemente envergonhado pela filha adolescente. Ela insistia em fazer exatamente o oposto de tudo o que ele ensinava. Um dia, ele me confessou que o comportamento da filha era resultado direto de sua negligência. Enquanto ele atendia às necessidades urgentes de vizinhos e amigos, que era o seu ministério, negligenciava a primeira e mais importante responsabilidade. Paulo insiste que o discípulo "deve governar bem sua própria família, tendo os filhos sujeitos a ele, com toda a dignidade. Pois, se alguém não sabe governar sua própria família, como poderá cuidar da igreja de Deus?" (1Tm 3.4,5). A excelência de seu discípulo na conduta tem de começar em casa.

Seu discípulo terá também de servir à igreja com excelência. Por exemplo, não basta que o discípulo dirija um estudo bíblico. Ele tem de estar bem preparado para tanto e fazê-lo em altíssimo padrão.

Quando nossa equipe masculina levou suas equipes de adolescentes para um retiro de Páscoa, passou mais de uma hora construindo uma cruz em tamanho padrão, de madeira rude, para demonstrar a agonia da crucificação. Aqueles homens poderiam ter pintado um quadro com palavras, em vez de transportar aquela cruz desajeitada até o acampamento. Mas sabiam que o evangelho merece uma apresentação excelente. E a resposta positiva dos adolescentes comprovou a bênção de Deus sobre seus esforços.

Paulo instruiu a Tito que se empenhasse pela qualidade de conduta que Deus exige: "Em tudo seja você mesmo um exemplo para eles, fazendo boas obras. Em seu ensino, mostre integridade e seriedade; use linguagem sadia, contra a qual nada se possa dizer [...]" (Tt 2.7,8).

Finalmente, a conduta de seu discípulo aqui no mundo deve refletir corretamente o seu Senhor. "Tudo o que fizerem, façam de todo o coração, como para o Senhor, e não para os homens" (Cl 3.23). Se o comportamento do seu discípulo for modelado no de Cristo, ele é sal (Mt 5.13). E o "cristão salgado" faz que os homens tenham sede de Deus. Contudo, se o sal for insípido, não serve para nada.

Conheço um contador judeu que é bem cético quanto aos cristãos. Um dia, ele me contou a razão do seu preconceito: estava enraizado nos negócios de um cristão que, contra a ética, ludibriava o governo.

Parece que o líder de uma igreja local procurou a ajuda desse meu amigo judeu para defraudar o serviço de arrecadação de imposto de renda. Embora esse incidente tivesse ocorrido dez anos antes, o contador jamais esquecera. Seu discípulo precisa ter "boa reputação perante os de fora, para que não caia em descrédito nem na cilada do Diabo" (1Tm 3.7).

AMOR

O amor é o resumo total da lei de Cristo (Mc 12.30,31). O perfeito amor de Cristo a Deus transbordava em amor incondicional aos homens. O texto de Mateus 8.2-4 relata a história de um leproso que procurou Jesus para ser curado. O Senhor teve profunda compaixão desse homem a quem tinha sido negado o toque humano ou o amor físico durante a maior parte de sua vida. Jesus sabia que a família e os vizinhos desse homem o abandonaram temendo também ficar doentes. Jesus poderia ter curado esse leproso ficando a uns 50 metros de distância e simplesmente proferindo a palavra. Mas o leproso precisava muito mais do que a restauração física; ele precisava da cura emocional. Movido por compaixão, Jesus tocou o leproso. Imagine a forte emoção que deve ter passado pelo seu corpo — ele foi tocado, foi amado.

Ao ser tocado pelo Filho de Deus, a encarnação do perfeito amor, seu discípulo está capacitado e é compelido a estender as mãos a um mundo necessitado. Seu profundo afeto e compaixão pelos outros devem fazê-lo ansioso por falar-lhes de Cristo (Rm 11.14).

Trabalhando nos guetos, temos oportunidades ilimitadas de compartilhar nosso amor. Alguns de nossa equipe seguram no colo crianças infestadas de piolhos. Ninguém mais as amaria nem cuidaria delas. Eles as lavam — e às vezes pegam piolhos. Alguns têm limpado alcoólatras cobertos do próprio vômito. Outros têm dado banho em crianças cuja criação nunca incluiu higiene pessoal ou ensino quanto ao uso de vaso sanitário. Amamos os esquecidos e negligenciados para dar glória a Deus. Em Lucas 9.48 está escrito: "Quem recebe esta criança em meu nome, está me recebendo; e quem me recebe, está recebendo aquele que me enviou. Pois aquele que entre vocês for o menor, este será o maior". O cuidado que você tem pelos outros é a medida da sua grandeza.

FÉ

Seu discípulo tem de ser uma pessoa de fé, pois sem fé é impossível agradar a Deus (Hb 11.6). A fé é baseada em fatos, é agir sobre algo que sabemos ser verdade. É diferente de esperança, que é aguardar que algo aconteça. A fé crê que Deus fará ou já fez alguma coisa, e não que ele apenas possa fazê-la. Fé é tomar Deus em sua Palavra.

Cristo comissionou seus discípulos a pregar o evangelho e a fazer discípulos de todas as nações (Mc 16.15; Mt 28.19). Eles poderiam ter gastado o resto da vida debatendo a improbabilidade de realizar a tarefa. Como atingiriam o mundo todo? Não tinham aviões nem ferrovias — tampouco carros. Como atingir as massas sem televisão, rádio, plano de salvação impresso? Eles não tinham nem o Novo Testamento.

Cristo, porém, prometeu-lhes autoridade, o poder do Espírito Santo e sua presença contínua. Os discípulos criam nele e agiram por fé na sua Palavra. O resultado está na História. Sua fé foi proclamada pelo mundo todo (Rm 1.8) e o evangelho foi constantemente "produzindo fruto e crescendo" (Cl 1.6).

Norm Boswell demonstrou fé quando se mudou com sua mulher e filhos, quatro pequenos, para o gueto de Newark a fim de fazer discípulos. Eles saíram do Kansas antes mesmo que tivéssemos arrumado uma casa para eles morarem. Norm não tinha curso superior nem experiência de trabalho no gueto. As pessoas julgavam que ele estivesse agindo contra a razão. Mas Norm sabia uma coisa: Deus o chamara para pregar o evangelho aos pobres. E o Senhor promete abençoar seus filhos fiéis, muito além de todas as expectativas. Hoje, centenas de novos cristãos em Newark estudam regularmente a Bíblia, discípulos são formados e a glória é dada a Deus por causa da fé de um discípulo.

"Consequentemente a fé vem por se ouvir a mensagem, e a mensagem é ouvida mediante a palavra de Cristo" (Rm 10.17). Ao estudar e aplicar a Palavra de Deus, aprendemos que ela funciona. Aqui está a parte mais importante da armadura do seu discípulo (Ef 6.16), "Porque vivemos por fé, e não pelo que vemos" (2Co 5.7).

Sem fé, seu discípulo terá dificuldade em crer que Cristo o usará para fazer discípulos. Sem fé, o caminho de Deus parece loucura (1Co 2.14). Mas com fé "tudo o que pedirem em oração, se crerem, vocês receberão" (Mt 21.22).

A fé é imprescindível para uma vida de excelência porque só ela capacita o discípulo a andar em confiança e maturidade. A fé permanece em oposição completa a uma vida controlada por emoções. A fé olha além das circunstâncias para um Deus que não muda.

PUREZA

A utilidade de seu discípulo para Deus depende totalmente do compromisso dele com a pureza. "Se alguém se purificar dessas coisas, será vaso para honra, santificado, útil para o Senhor e preparado para toda boa obra" (2Tm 2.21). Como Deus é puro, ele insiste que seus filhos sejam puros: "Mas, assim como é santo aquele que os chamou, sejam santos vocês também em tudo o que fizerem, pois está escrito: 'Sejam santos, porque eu sou santo' " (1Pe 1.15,16). Santidade é sinônimo de pureza.

Pureza é a separação da poluição e do pecado deste mundo pelo poder purificador do sangue de Cristo. Deus odeia o pecado e não pode se relacionar com seres impuros sem comprometer seu caráter. Tudo o que Deus faz está em perfeita harmonia com sua santidade (Sl 145.17).

A primeira epístola aos Coríntios 6.18 explica por que a pureza é tão importante: "Fujam da imoralidade sexual. Todos os outros pecados que alguém comete, fora do corpo os comete; mas quem peca sexualmente, peca contra o seu próprio corpo". O pecado sexual afeta tudo a respeito do seu discípulo. Afeta o modo de encarar a si mesmo, resultando em insegurança e imaturidade. Afeta negativamente suas relações com a família e com outros cristãos, fazendo-o desconfiar e criticar. Paralisa o seu ministério, diminuindo a confiança em Cristo, apagando a motivação por fazer a vontade de Deus e roubando-lhe o poder de Deus. Não conheço outro pecado que o Diabo tenha usado com maior sucesso para destruir ministérios.

Como a eficácia do discípulo e sua liberdade no Espírito para ser fortalecido são diretamente afetadas pela santidade, é necessário certificar-se de que ele é puro. Infelizmente, muitos de nós somos tão "santos" que nem queremos saber se nossos discípulos estão batalhando em sua vida espiritual contra a impureza. Mas deixe-me ser franco: se você não tiver amor suficiente por seu discípulo para perguntar-lhe se ele está lutando contra a lascívia, vocês têm um relacionamento muito superficial.

É doloroso reconhecer a impureza. É humilhante confessar a necessidade de receber apoio contínuo por causa de uma batalha que se trava constantemente. Nada exige maior desnudamento de alma. É improvável que o discípulo admita tal problema, a não ser que ele tenha certeza de que você será compassivo e compreensivo e continuará a aceitá-lo.

É muito fácil responder à impureza com horror, vergonha e condenação. Tal atitude, no entanto, poderia ferir fatalmente seu relacionamento. Você tem de atender ao grito de socorro do seu discípulo gastando toda a força necessária para orar, encorajar e prover-lhe suporte. A Bíblia fala de três elementos que criam no discípulo a vontade de ser puro e que dão a ele condições de andar em pureza.

Primeiro, ele precisa conformar sua mente à mente de Deus. Em Filipenses 2.5 lemos: "Seja a atitude de vocês a mesma de Cristo Jesus". Paulo nos ensina:

> Finalmente, irmãos, tudo o que for verdadeiro, tudo o que for nobre, tudo o que for correto, tudo o que for puro, tudo o que for amável, tudo o que for de boa fama, se houver algo de excelente ou digno de louvor, pensem nessas coisas (Fp 4.8).

A mente de seu discípulo é de suma importância na luta dele pela pureza, pois seus pensamentos determinam em grande parte seu comportamento.

Quando instalamos nosso computador, fiquei familiarizado com a sigla GIGO, que significa "entra lixo, sai lixo" [em inglês, garbage in — garbage out]. Aquilo que colocamos no computador determina o que o computador imprimirá e dará como resultado. O computador só é capaz de usar aquilo que foi colocado nele.

De modo semelhante, funciona a nossa mente. Se a saturarmos com "lixo", nossas ações refletirão isso mesmo. Mas, se a enchermos da Palavra de Deus, pensamentos limpos dirigirão nossa boca, nossas mãos e nossos pés em palavras e atos de pureza. "Cada palavra de Deus é comprovadamente pura [...]" (Pv 30.5).

Em segundo lugar, ele tem de fazer parte de um corpo cristão sadio e que funciona. Isso é importantíssimo, pois nenhum discípulo pode manter a pureza sozinho. Ele precisa do *exemplo* de cristãos maduros no corpo e da *proteção*, do cuidado e do suporte que somente o corpo de Cristo pode providenciar.

Terceiro, ele precisa confessar voluntariamente sua impureza e aceitar o perdão de Deus. Deus promete que, se confessarmos nossos pecados, concordando com ele que desobedecemos, ele nos perdoará e purificará, baseado na sua fidelidade e justiça (1Jo 1.9). A pureza é impossível sem receber a purificação e o perdão de Deus mediante a confissão.

Entretanto, 1João 1.9 não dá licença para continuarmos no pecado. Ao contrário, Provérbios 28.13 explica que aquele que confessa seus pecados e os deixa alcançará misericórdia. A confissão do discípulo deve ser estimulada por uma atitude sincera de arrependimento. Isso se evidenciará por sua consagração em fazer tudo que lhe estiver ao alcance para evitar a impureza.

Certa noite fria, um árabe amarrou o camelo ao lado de sua tenda. Perto da meia-noite, o ancião sentiu a tenda mover-se e acordou com o focinho do animal dentro da tenda. O árabe pegou uma vara, bateu firme no focinho do animal, e o camelo saiu. Um pouco mais tarde, o camelo enfiou novamente o focinho na tenda e disse ao árabe: "Está tão frio aqui e você tem esta tenda grande e quente. Não faz mal se eu deixar apenas o focinho aqui dentro, faz?". Depois de pensar por um momento, o árabe concordou.

Cerca de uma hora depois, o árabe acordou e encontrou a cabeça inteira do camelo dentro da tenda. Rapidamente, o animal explicou: "Tomei um pouquinho mais de espaço e agora minha cabeça está tão confortável. Não faz mal, não é?". Mais uma vez, o árabe concordou. Depois, mais três vezes o árabe acordou, e a cada vez um pouco mais do corpo do camelo estava dentro da tenda. Em todas as vezes, o homem cedeu aos pedidos convincentes do animal. Finalmente, o árabe acordou do lado de fora da tenda e o camelo dormindo comodamente dentro dela, recusando-se a sair.

É óbvia a moral da história: ao primeiro sinal de impureza a entrar sorrateiramente em sua vida, você tem de fazer o ritual de bater no focinho do camelo, senão ficará totalmente cativo da imoralidade e incapaz de controlá-la.

Seu discípulo deve lutar para atingir o padrão de excelência de Deus na fala, na conduta, no amor, na fé e na pureza. Embora esse ideal só será atingido perfeitamente no futuro Reino de Cristo, a graça e o poder de Deus nos capacitam a realizar uma nova medida de retidão e santidade agora.

Lista de verificação do discipulador — *O padrão do discípulo: excelência*

Meu discípulo compreende o padrão da excelência e está buscando obtê-la em:

- ☐ Suas palavras.
- ☐ Sua conduta.
- ☐ Seu amor.
- ☐ Sua fé.
- ☐ Sua pureza.

13
O modelo do Mestre

Uma das minhas primeiras tentativas de entrar no mundo dos negócios foi como vendedor de assinaturas de jornal. O jornal promovia com frequência concursos para aumentar a circulação. Lembro-me claramente de uma conversa encorajadora com meu gerente: "Não me importo como você consegue angariar assinaturas; consiga-as". O mundo tem pouco interesse em como o trabalho é feito, desde que seja feito. Como é diferente na economia de Deus!

No discipulado, o método é a mensagem. Todas as semanas, milhares de crianças dos guetos assistem às nossas aulas bíblicas por todo o país. Descobrimos que as crianças aprendem mais observando seus professores no amor e cuidado aos outros do que aquilo que aprendem nas histórias bíblicas.

É por isso que o método de Cristo de treinar as pessoas tem importância máxima. A observação cuidadosa de sua estratégia revela que o treinamento de uma pessoa para se tornar discípulo atuante exige tratamento duplo: primeiro, o método e a mensagem de Cristo eram: "Seja como eu sou". Segundo, ele deu treinamento prático por um longo período de tempo. Se qualquer destes estiver faltando, o discipulado não ocorrerá.

"SEJA COMO EU SOU"

Nunca deixo de ficar surpreso ao observar como meus filhos tentam imitar tudo o que faço. Eles me veem fazendo a barba e querem se barbear. Observam-me correndo e querem correr pela rua comigo. Acredito que a pergunta de que mais gostam sempre começa com as palavras: "Quando eu crescer, posso... dirigir seu carro? [...] ir ao escritório? [...] usar aquela serra grande e barulhenta?". A intenção é sempre a mesma: "Quando eu ficar grande, posso [...] ser como você?".

Quando Joshua e Paul tinham 3 anos, eles observavam enquanto um vizinho e eu cortávamos um eucalipto de 15 metros de altura em nosso quintal. Primeiro, cortamos os galhos mais baixos para evitar que fizessem estragos em um prédio que havia por perto. Depois, cortamos a árvore com uma serra elétrica. Os meninos ficaram entusiasmadíssimos quando o eucalipto caiu ao chão.

Na manhã seguinte, viajei. Ao voltar, notei que a copa de outra árvore tinha perdido todos os seus galhos de um lado. Os meninos estavam no processo de sistematicamente arrancar cada galho preparando-se para derrubar a árvore.

A maior parte do que somos hoje é resultado de observar e escutar outros. Aprendemos a falar imitando nossos pais e outras crianças na escola. Formamos preferências pessoais quanto a vestuário, recreação, música e divertimentos, copiando os gostos de nossa família e de nossos semelhantes. Mesmo nossos pensamentos e nossa filosofia de vida foram grandemente influenciados por aqueles que nos cercam.

Fazer discípulos é um processo que começa com ser modelo. O caráter é transmitido, e não ensinado. É por isso que os discípulos de Cristo abandonaram suas profissões para estarem com ele (Mc 3.14). Primeiro, tinham de seguir Jesus. Só então ele poderia treiná-los para ser "pescadores de homens".

Os discípulos acompanharam Cristo quando ele transformou água em vinho. Observaram-no quando ele expulsou os cambistas do templo. Escutaram-no quando ele ministrou à mulher samaritana, violando um tabu racial. Viram Cristo curar o filho do nobre e o coxo em Betesda. Maravilharam-se quando ele expulsou demônios de um homem em Gerasa. Por meses, observaram-no curar cegos, coxos e surdos. Viram-no ministrar a crianças, mulheres, homens e até mesmo a seus inimigos. Ouviram discursos extraordinários, parábolas surpreendentes e a mensagem mais singular que já foi transmitida — o Sermão do Monte.

Jesus explicou cuidadosamente os seus ensinos e seus atos aos discípulos para que eles compreendessem a razão e os princípios que o motivavam. Ele gastou tempo a sós com eles, explicando-lhes por que falava em parábolas (Mt 13.10-15) e revelando os segredos do Reino de Deus (Mc 4.11). Marcos diz que "quando, porém, estava a sós com seus discípulos, explicava-lhes" (4.34). Enquanto Jesus ensinava a seus discípulos os princípios que deveriam seguir em seu ministério, concentrou-se em moldar-lhes o caráter, e não apenas em transmitir informações. Não houve outros homens que se assentaram aos pés de um mestre mais profundo e relevante.

O que os discípulos viram e ouviram afetou-os de modo radical. Nunca se esqueceram da perfeita integração entre o ensino e a ação de Jesus (At 1.1). Fielmente, eles retrataram Jesus como alguém que "andou por toda parte fazendo o bem e curando todos os oprimidos pelo Diabo" (At 10.38). Eles baseavam sua autoridade e buscavam credenciais para sua mensagem nas palavras: "Nós lhes proclamamos o que vimos e ouvimos [...]" (1Jo 1.3). Ao observar e ouvir a Cristo, esses discípulos incultos foram transformados em ministros atuantes, homens cheios da graça e do poder de Deus (At 6.8). Se eles tivessem copiado um modelo menor, seu ministério teria sido muito menos significativo. Mais tarde, antagonistas atribuíram o sucesso dos discípulos ao fato de que "eles haviam estado com Jesus" (At 4.13).

Jesus proporcionou a seus discípulos um modelo perfeito (Jo 13.15). Eles então podiam fazer discípulos, não apenas porque conheciam Cristo, mas porque se tornaram como ele. Podiam ser modelo daquilo que outros deveriam ser.

Semelhantemente a Cristo, sua tarefa mais importante é oferecer um modelo de excelência a seu discípulo. É a lei da natureza reproduzirmos conforme a nossa espécie. Colhemos aquilo que semeamos (Gl 6.7,8). O fazendeiro que planta batatas não espera colher pepinos. Jesus disse: "Toda árvore é reconhecida por seus frutos. Ninguém colhe figos de espinheiros, nem uvas de ervas daninhas" (Lc 6.44).

Esse mesmo princípio é verdade espiritual. Só o discípulo (morto para si mesmo) pode fazer discípulos (reproduzir). Note que a comissão de Cristo de fazer discípulos foi dada a seus discípulos. É por isso que nosso caráter tem de ser como o de Cristo antes que possamos reproduzir em outras pessoas aquilo que somos. Nós reproduzimos, segundo a nossa espécie, o bem ou o mal. Se o cristão carnal treina outra pessoa, a carnalidade será o fruto de seu relacionamento. Lucas diz: "O discípulo não está acima do seu mestre, mas todo aquele que for bem preparado será como o seu mestre" (6.40).

Quando comecei este ministério, hesitava muito em confrontar os voluntários despreparados quanto à sua falta de excelência. Eu sempre deixava passar, esperando que o Espírito de Deus os convencesse. Até me esforçava por agradecer-lhes os esforços em tentar ou mesmo se apresentar.

Dentro de pouco tempo, percebi a mesma relutância em Al Ewert. O mesmo medo que eu tinha de ofender e talvez perder um voluntário reproduzia-se em Al. Eu estava convicto; sabia que Al nunca mudaria, a não ser que eu mudasse e ele percebesse essa mudança em mim. À medida que fui crescendo no exercício do confronto honesto baseado no padrão de excelência de Deus, Al também crescia. Uma vez que somente Deus pode produzir o caráter do verdadeiro discípulo, é muito mais fácil seu discípulo tornar-se algo que ele pode ver do que algo de que ele apenas ouviu dizer ou sobre o que leu.

Tive um colega na faculdade que sonhava ser jogador profissional de futebol americano. Uma tarde, eu estava no campo observando-o treinar. Muitas vezes, ele recebeu passes espetaculares. Infelizmente, não havia nenhum "olheiro" profissional observando-o ali. Sua capacidade teria de ser observada para ser apreciada.

O seu caráter pode ser impecável, mas não adianta quase nada para seu discípulo se ele não estiver com você para ver o modelo. Paulo levou Timóteo com ele e usou as experiências que tiveram para ressaltar verdades bíblicas (2Tm 3.10,11). Deixe seu discípulo observar sua vida, seu ministério e seu amor a Deus e aos outros. Descansem juntos.

Quanto mais tempo passarem juntos, mais eficaz será a preparação de seu discípulo. "Assim como o ferro afia o ferro, o homem afia o seu companheiro" (Pv 27.17).

Um dos métodos mais efetivos de ser modelo é fazer as coisas com seu discípulo. Você tem de estar ativamente preocupado com o trabalho dele, com suas finanças, com suas relações familiares e tudo o mais que o afeta. Ensine-lhe que, como nova criação em Cristo, tudo o que ele faz é espiritual. Se ele for relaxado quanto ao uso do tempo, faça um horário para a semana com ele. Se ele for fraco como servo, façam um projeto voluntário. Se faltar a ele disciplina física, corra com ele todas as manhãs. Se ele precisa aprender a trabalhar diligentemente, dê-lhe uma responsabilidade que exija esforço e determinação dos dois, sua e dele. Deus usará sua vida para ilustrar as aplicações práticas da sua Palavra.

Paulo se ofereceu como modelo para que seus discípulos pudessem traçar sua vida em confiança. "Ponham em prática tudo o que vocês aprenderam, receberam, ouviram e viram em mim. E o Deus da paz estará com vocês" (Fp 4.9). Paulo não tinha medo de investir a vida em seus discípulos. Ele não tinha medo de influenciá-los porque Paulo não pregava a si mesmo. Ele declarou: "Tornem-se meus imitadores, como eu o sou de Cristo" (1Co 11.1).

Porque o seu caráter se assemelha ao do Mestre, você deve ser imitado — vale a pena. O Espírito impele e capacita os discípulos a imitar o Cristo que vive em você.

TREINAMENTO PRÁTICO

A primeira vez que os meninos viram Katie e eu nadar, queriam pular imediatamente na água e experimentar conosco. É claro que não iríamos deixar meninos de 2 anos experimentar a natação sem o treinamento correto. Primeiro, nós os levamos conosco à água segurando-os a todo instante. Depois explicamos como prender a respiração, como fechar a boca debaixo d'água, bater os pés, estender e puxar os braços, e eles começaram a nadar curtas distâncias sozinhos, enquanto nós estávamos por perto. Agora, já podem atravessar a piscina sozinhos a nado. Mas nós ainda os vigiamos atentamente. Um dia, eles estarão capacitados a nadar sem a vigilância dos pais.

Não existe verdadeiro treinamento sem participação. As habilidades são desenvolvidas pela aplicação prática do conhecimento. Jesus foi o maior mestre que o mundo conheceu porque ele equilibrava perfeitamente teologia e participação prática no que dava a seus discípulos. Ele declarou: " 'Considerem atentamente o que vocês estão ouvindo. [...] "Com a medida com que medirem, vocês serão medidos; e ainda mais lhes acrescentarão' " (Mc 4.24).

O treinamento prático exige que você permita que seu discípulo participe de sua vida e ministério. Isso se faz delegando. Delegar é confiar *responsabilidade* e *autoridade* a outros, estabelecendo *prestação de contas* dos resultados. Esses três componentes trabalham juntos como um tripé. Cada um deles é tão importante para a delegação bem-sucedida que, se um estiver faltando, o processo todo pode cair por terra.

Jesus foi mestre de treinamento mediante a delegação de responsabilidade. Vamos examinar como ele fazia os discípulos participarem ao treiná-los nas habilidades do ministério.

Jesus delegava responsabilidade. Depois que os discípulos observaram de perto a vida e o ministério de Cristo e aprenderam os princípios por trás de seus atos, ele deu-lhes oportunidades de pôr em prática aquilo que tinham aprendido.

Sua participação começou com tarefas pequenas como procurar comida, distribuir pães e peixes e arranjar um barco. À medida que cresceu o compromisso, ele os instruiu a batizar outros. Em seguida, ele os levou para uma tarefa experimental

— uma viagem missionária muito bem supervisionada através da Galileia. Eles tornaram-se seus parceiros no ministério.

Logo Jesus passou a lhes dar tarefas a serem desempenhadas com supervisão limitada (Mt 10.7,8). Ele os comissionou a pregar o evangelho e curar os enfermos. Para ajudá-los a cumprir essa tarefa, deu-lhes diretrizes pelas quais podiam decidir como agir em diversas situações: o que pregar, como ministrar aos necessitados, aonde ir, o que levar, como financiar a viagem e como agir ao enfrentar oposição. Jesus planejou a formação de seus discípulos não apenas para suprir as necessidades físicas e espirituais do próximo, mas também visando a aumentar a confiança e a maturidade deles.

São quatro as diretrizes que o auxiliarão a delegar efetivamente responsabilidade a seu discípulo:

1. *Nunca delegue prematuramente*. A delegação prematura alimenta o orgulho e reforça o pensamento terreno de que habilidades e talentos é que produzem frutos. Dá a ideia de que "fazer" é mais importante que "ser" e reflete a mentalidade de que servir e fazer discípulo são obra do homem, e não do Espírito. Delegue a responsabilidade com base na morte do seu discípulo para o ego, na disposição de servo, na maturidade, não nas capacidades dele.

Não suponha que seu discípulo saiba levar a cabo a tarefa que você está lhe confiando, a não ser que você já a tenha feito com ele ou o tenha visto desempenhá-la. Um bom professor treina seu aluno pelo exemplo. Seu discípulo aprende a ministrar observando você no ministério e ministrando com você. Certifique-se de que ele está capacitado e sabe como realizar a responsabilidade que você lhe está delegando.

2. *Delegue com clareza.* Defina especificamente a responsabilidade que seu discípulo terá de assumir. Verifique se ele entende perfeitamente o que se espera dele.

3. *Delegue aos poucos.* Inicialmente, vocês farão tudo juntos. Deve começar a delegar responsabilidades devagar. Comece solicitando pequenas tarefas que tenham alta probabilidade de sucesso.

Fracassos criam insegurança. Ajude-o a evitar erros desnecessários que prejudiquem sua confiança. À medida que ele ganha experiência e amadurece espiritualmente, dê-lhe tarefas maiores. Lucas 16.10 diz: "Quem é fiel no pouco, também é fiel no muito [...]". Embora existam certas responsabilidades e decisões que você não pode deixar de cumprir, é seu dever delegar tanto quanto possível. Os homens a quem Cristo treinou delegaram liberalmente a responsabilidade (1Pe 5.1-4; Tt 3.8).

4. *Inspire confiança.* Seu discípulo tem de saber que você tem confiança nele e na capacidade dele de cumprir a tarefa que lhe foi dada. Fale do crescimento que você observa em sua vida. Paulo se deleitava no crescimento daqueles a quem servia:

> Irmãos, devemos sempre dar graças a Deus por vocês; e isso é justo, porque a fé que vocês têm cresce cada vez mais, e muito aumenta o amor de todos vocês uns pelos outros. Por esta causa nos gloriamos em vocês entre as igrejas de Deus pela perseverança e fé demonstradas por vocês em todas as perseguições e tribulações que estão suportando (2Ts 1.3,4).

Ele elogiou Filemom por seu amor e sua fé (Filemom 4,5). Elogie e cumprimente seu discípulo pelas tarefas bem-feitas.

Ofereça críticas construtivas que levem a melhoras, em vez de concentrar-se em falhas temporárias. Sua atitude, mais que suas palavras, aumentará a confiança dele. Certifique-se de que ele sinta que está dando uma contribuição significativa e tem um ministério importante. Demonstre sua confiança nele pedindo sua opinião sobre problemas específicos e siga seu conselho sempre que possível.

Jesus delegou autoridade. Cristo deu a seus discípulos autoridade para cumprir as responsabilidades de curar os enfermos e proclamar o Reino. "[...] deu-lhes autoridade para expulsar espíritos imundos e curar todas as doenças e enfermidades" (Mt 10.1).

Responsabilidade e autoridade têm de ser delegadas igualmente. É injusto pedir que seu discípulo aceite uma responsabilidade para a qual você não está disposto a lhe dar autoridade suficiente. A autoridade insuficiente leva a frustração e ineficiência. Por que confiar uma tarefa a seu discípulo se ele tem de pedir continuamente sua opinião a fim de receber autorização para tomar decisões? Uma vez delegada uma responsabilidade a ele, deixe que ele lidere.

Baseado em sua experiência pregressa e naquilo que você tem recebido de seus líderes, decida quanta autoridade será necessária para seu discípulo cumprir a responsabilidade que lhe foi designada. Então, defina especificamente a amplitude dessa autoridade. Certifique-se de que seu discípulo entende esses limites. Por exemplo, você pode estabelecer limites financeiros. Se você lhe deu a tarefa de levar 45 crianças em um passeio ao campo, pode solicitar que ele não gaste mais que uma quantia específica. Embora ele tenha liberdade para decidir como transportar as crianças e o que lhes dar de comer, sabe que as despesas com combustível e alimentação não devem exceder a quantia estipulada, a não ser que obtenha autorização adicional.

Aliado à delegação de responsabilidade e à autoridade, vem o "direito" de errar. Seu discípulo cometerá erros e tomará decisões falhas. Todos nós o fazemos. Descubra onde foi que ele errou. Então, ajude-o a ver em que ponto seu pensamento falhou. Encoraje o discípulo a usar os fracassos como lições para crescimento futuro e, desse modo, você o auxiliará a concentrar-se no desenvolvimento do ministério, e não na autodefesa.

Jesus exercitou a prestação de contas. Cristo amou seus discípulos de tal forma que lhes avaliava e corrigia os atos para que pudessem crescer na vida cristã. Ele lhes dava suporte. Depois da primeira viagem missionária que fizeram sozinhos, "Os apóstolos reuniram-se a Jesus e lhe relataram tudo o que tinham feito e ensinado" (Mc 6.30). Sem dúvida, Jesus avaliou o trabalho que fizeram e revisou os alvos que lhes tinha designado. Esse momento de compartilhar afiou suas habilidades no ministério.

A tragédia na Igreja de hoje é que tão poucas pessoas estão dispostas a usar o tempo necessário e investir emocionalmente em outra pessoa como se requer na prestação de contas. Antes de começar seu relacionamento de discipulado, você se comprometeu a ajudar o discípulo a crescer por meio da prestação de contas. Não falhe com ele.

Para isso, verifique cada aspecto da vida de seu discípulo e do ministério que ele exerce. Encoraje-o no estudo regular da Bíblia, na memorização das Escrituras, na meditação, na oração e na adoração. Quando seu comportamento e atitudes não forem marcados pela excelência, você deve ajudá-lo a corrigir as fraquezas e a desenvolver os pontos fortes.

RETIRADA

Ao ter certeza de que seus homens estavam treinados, Jesus lhes entregou a liderança da obra de Deus aqui e comissionou--os a fazer discípulos por toda parte. *Antes* de ser crucificado, Cristo orou ao Pai: "Eu te glorifiquei na terra, completando a obra que me deste para fazer" (Jo 17.4). A obra de Cristo foi treinar homens, e não apenas realizar milagres ou pregar o evangelho. Tendo preparado seus discípulos, ele podia pedir confiantemente sua volta ao Pai (Jo 17.5).

A retirada é o passo final no treinamento de seu discípulo para o ministério. A retirada começa quando seu discípulo está equipado para começar a fazer discípulos. Você repete o mesmo processo pelo qual já passou de orar pela escolha de um discípulo e cuidadosamente escolher aquele no qual investir. No entanto, dessa vez, tanto você como seu discípulo estarão prontos para reproduzir. Consequentemente, vocês estarão orando por mais duas pessoas.

Quando seu discípulo começar a fazer discípulos, o seu relacionamento continuará, mas o foco irá mudar, assim como o relacionamento que Cristo teve com os discípulos dele mudou depois de sua ascensão. Agora você concentra-se em ajudá-lo a treinar outra pessoa a tornar-se um discípulo atuante.

O método do Mestre era "Seja como eu sou" paralelamente ao treinamento prático que o levou a se retirar. Somos sábios se seguirmos seu exemplo.

Estou convencido de que o treinamento de outros para que treinem outros é uma das maiores alegrias que Cristo nos permite experimentar. Mas exige enorme esforço e grande concentração de energia e vontade. Meu desafio é que você seja a pessoa de Deus, homem ou mulher de Deus, descanse na sua soberania e deixe que ele atue livremente por meio de você nessa tarefa que é a mais empolgante da edificação do seu Reino.

Lista de verificação do discipulador — *O modelo do Mestre*

- ☐ Ofereço excelente modelo para o meu discípulo.
- ☐ Ofereço treinamento prático:
  - ☐ Delego responsabilidade.
  - ☐ Delego autoridade.
  - ☐ Dou suporte.

Esta obra foi composta em *AGaramond*
e impressa por Gráfica Piffer Print sobre papel
Polen Bold 90 g/m² para Editora Vida.